#교과서×사고력
#게임하듯공부해
#스티커게임?리얼공부!

Go! 매쓰
초등 수학

저자 김보미

- 네이버 대표카페 '성공하는 공부방 운영하기' 운영자
- '미래엔', '메가스터디', '천재교육' 교재 기획 및 집필
- 전국 1,000개 이상의 공부방/선생님 컨설팅 및 교육
- 현재 《GO! 매쓰》 수학 공부방 운영

**Chunjae
Maketh
Chunjae**

▼

기획총괄	김안나
편집개발	이근우, 장지현, 서진호, 한인숙, 최수정, 김혜민, 장효선, 박웅
디자인총괄	김희정
표지디자인	윤순미
내지디자인	박희춘, 이혜미
제작	황성진, 조규영

발행일	2020년 10월 1일 2판 2020년 10월 1일 1쇄
발행인	(주)천재교육
주소	서울시 금천구 가산로9길 54
신고번호	제2001-000018호
고객센터	1577-0902
교재 구입 문의	1522-5566

교과서 GO! 사고력 GO!

GO! 매쓰

GO!

Start

교과서 개념

수학 1-1

GO!매쓰 Start

구성과 특징

1. 교과서 개념 잡기

교과서 개념을 익힌 다음 개념 OX 또는 개념 Play로 개념을 확인하고 개념 확인 문제를 풀어 보세요.

개념 OX 또는 개념 Play로 개념을 재미있게 확인할 수 있습니다.

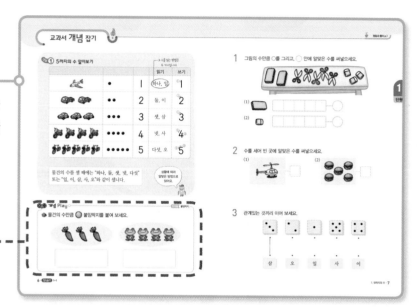

2. 교과서 개념 play

개념을 게임으로 학습하면서 집중력을 높여 개념을 익히고 기본을 탄탄하게 만들어요.

재미 UP!
실력 UP!

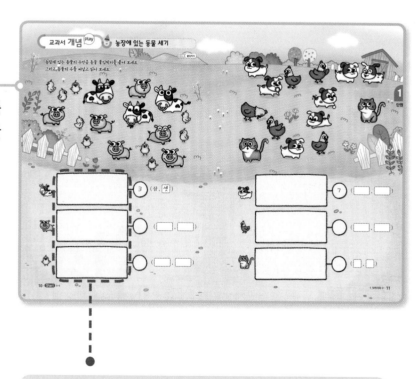

Play 붙임딱지를 활용하여 손잡이를 접어 붙였다 떼었다를 반복하면 하나의 게임도 여러 번 할 수 있습니다.

3 집중! 드릴 문제

각 단원에 꼭 필요한 기초 문제를 반복하여 풀어 보면 기초력을 향상 시킬 수 있어요.

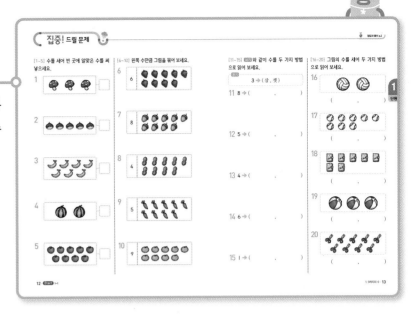

4 교과서 개념 확인 문제

교과서와 익힘책의 다양한 유형의 문제를 풀어 볼 수 있어요.

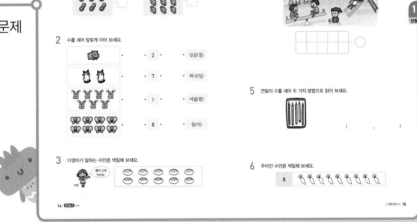

5 개념 확인평가

각 단원의 개념을 잘 이해하였는지 평가하여 배운 내용을 정리할 수 있어요.

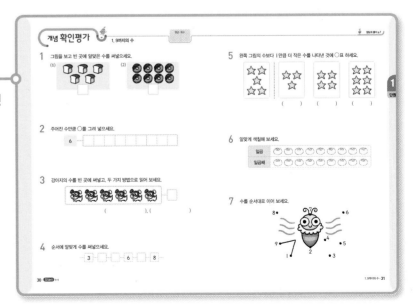

차례

1 9까지의 수

개념 ① 5까지의 수 알아보기

→ 수를 읽는 방법은
두 가지입니다.

			읽기	쓰기
✈️	●	l	하나, 일	① l
🚗🚗	●●	2	둘, 이	① 2
🚗🚗🚗	●●●	3	셋, 삼	① 3
🏍🏍🏍🏍	●●●●	4	넷, 사	① 4 ②
🚲🚲🚲🚲🚲	●●●●●	5	다섯, 오	① 5 ②

물건의 수를 셀 때에는 "하나, 둘, 셋, 넷, 다섯"
또는 "일, 이, 삼, 사, 오"와 같이 셉니다.

상황에 따라
알맞은 방법으로
읽어요.

개념 Play

준비물 붙임딱지

🎓 물건의 수만큼 ⬤ 붙임딱지를 붙여 보세요.

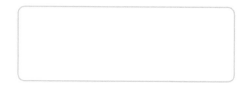   

1 그림의 수만큼 ◯를 그리고, ◯ 안에 알맞은 수를 써넣으세요.

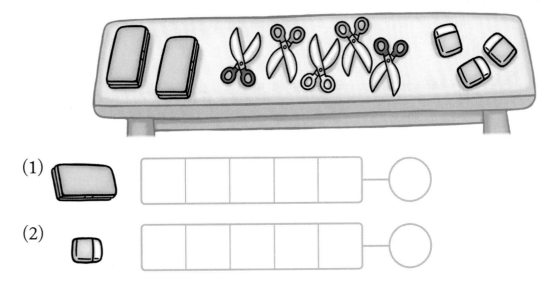

(1) □□□□□ ─◯

(2) □□□□ ─◯

2 수를 세어 빈 곳에 알맞은 수를 써넣으세요.

(1)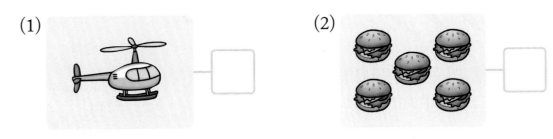

(2)

3 관계있는 것끼리 이어 보세요.

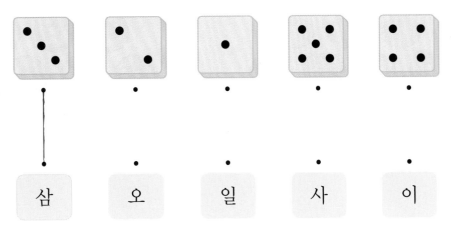

삼　　오　　일　　사　　이

개념 ② 9까지의 수 알아보기

			읽기	쓰기
🎲🎲🎲🎲🎲🎲	●●●●● ●	6	여섯, 육	①↓6
📒📒📒📒📒📒📒	●●●●● ●●	7	일곱, 칠	①↓7②
▭▭▭▭▭▭▭▭	●●●●● ●●●	8	여덟, 팔	↗8①
✏✏✏✏✏✏✏✏✏	●●●●● ●●●●	9	아홉, 구	9①
✏✏✏✏✏✏✏✏✏✏	●●●●● ●●●●●	10	열, 십	①↓②10

9보다 1만큼 더 큰 수는 10입니다.
10은 십 또는 열이라고 읽습니다.

9 다음의 수 10은 5단원에서 더 배울 수 있어요.

🎮 개념 Play

준비물 ◀ 붙임딱지

🎓 물건의 수만큼 🔵 붙임딱지를 붙여 보세요.

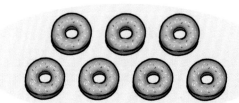

1 수를 세어 빈 곳에 알맞은 수를 써넣으세요.

(1)

(2)

2 수를 세어 알맞게 이어 보세요.

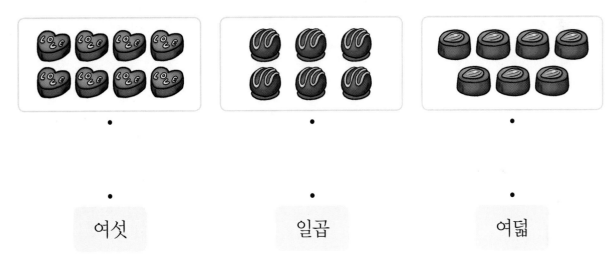

여섯   일곱   여덟

3 수가 7인 것을 찾아 ○표 하세요.

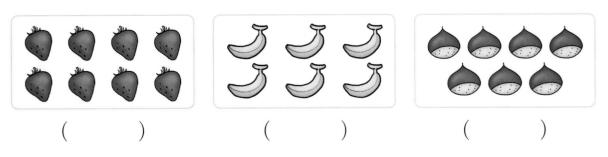

(   )   (   )   (   )

준비물 붙임딱지

농장에 있는 동물의 수만큼 동물 붙임딱지를 붙여 보세요.
그리고 동물의 수를 써넣고 읽어 보세요.

3 (삼, 셋)

(　　,　　)

(　　,　　)

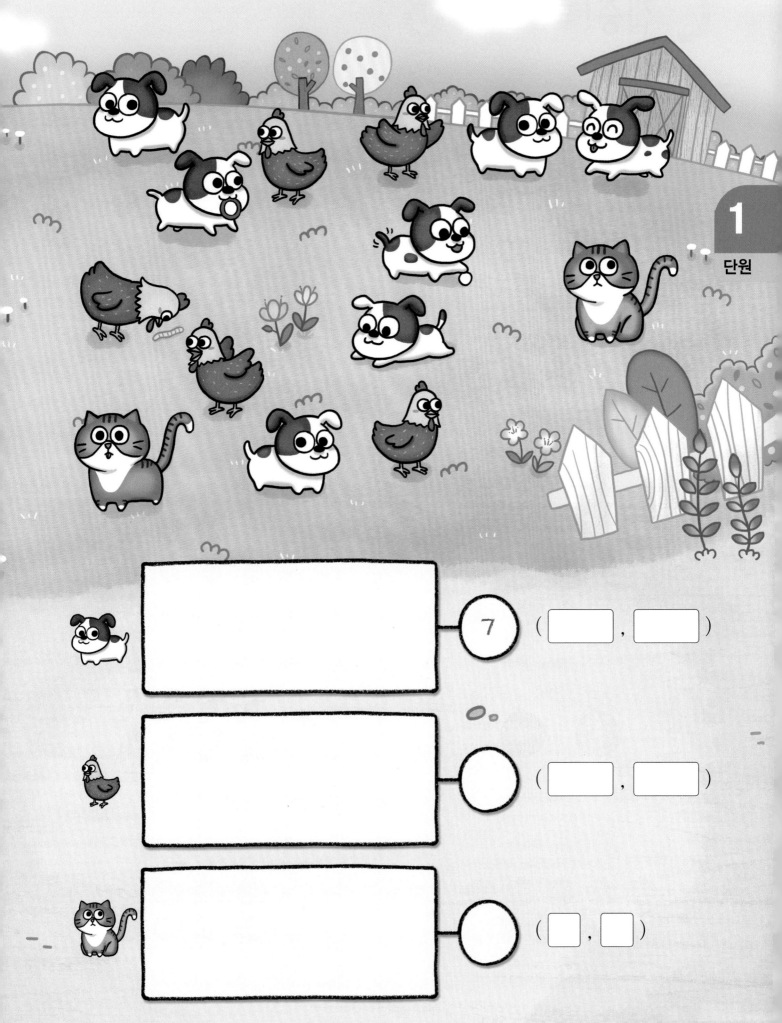

[1~5] 수를 세어 빈 곳에 알맞은 수를 써 넣으세요.

1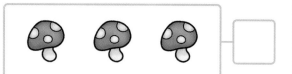

2

3

4

5

[6~10] 왼쪽 수만큼 그림을 묶어 보세요.

6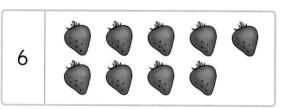

7

8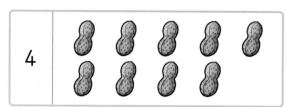

9

10

[11~15] 보기 와 같이 수를 두 가지 방법으로 읽어 보세요.

> 보기
>
> 3 ➡ (삼 , 셋)

11 8 ➡ (,   )

12 5 ➡ (,   )

13 4 ➡ (,   )

14 6 ➡ (,   )

15 1 ➡ (,   )

[16~20] 그림의 수를 세어 두 가지 방법으로 읽어 보세요.

16

(,   )

17

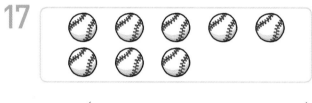

(,   )

18

(,   )

19

(,   )

20

(,   )

1 그림의 수를 세어 빈 곳에 써넣으세요.

(1)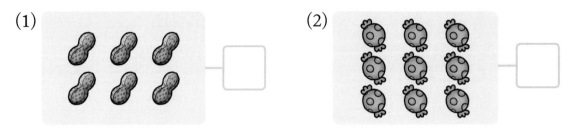

(2)

2 수를 세어 알맞게 이어 보세요.

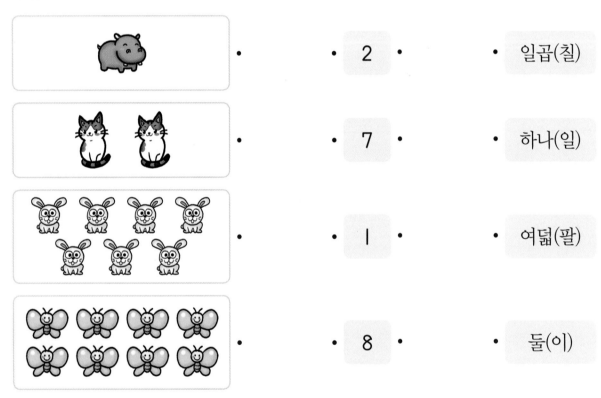

	• 2 •	• 일곱(칠)
	• 7 •	• 하나(일)
	• 1 •	• 여덟(팔)
	• 8 •	• 둘(이)

3 다영이가 말하는 수만큼 색칠해 보세요.

빵이 5개 있어요.

다영

4 아이들의 수만큼 ○를 그리고, ◯ 안에 알맞은 수를 써넣으세요.

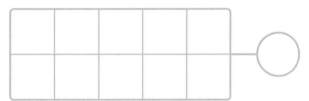

5 연필의 수를 세어 두 가지 방법으로 읽어 보세요.

(,   )

6 주어진 수만큼 색칠해 보세요.

7 아이스크림의 수를 세어 보고 바르게 읽은 것에 ◯표 하세요.

| 일곱 | 여섯 | 아홉 | 여덟 | 다섯 |

8 노란색 자동차는 몇 대일까요?

( )

9 다음 중 4와 관계있는 것을 모두 찾아 기호를 써 보세요.

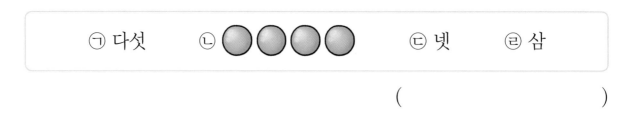

⑦ 다섯   ⑥ ◯◯◯◯   ⑤ 넷   ⑥ 삼

( )

10 나머지 셋과 <u>다른</u> 하나를 찾아 ×표 하세요.

| 구 | 9 | 일곱 | 아홉 |

11 그림에 맞게 수를 바르게 고쳐 써 보세요.

케이크에 초가 ~~5~~개 꽂혀 있습니다. → ☐

12 그림을 보고 바르게 설명한 것을 찾아 기호를 써 보세요.

ㄱ 어항에 금붕어 2마리가 있습니다.
ㄴ 어항에 금붕어 세 마리가 있습니다.
ㄷ 금붕어의 수는 4입니다.

(   )

13 그림의 수가 7인 것에 ◯표 하세요.

(   )   (   )   (   )

1

단원

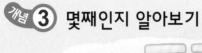

개념 ③ 몇째인지 알아보기

첫째　둘째　셋째　넷째　다섯째　여섯째　일곱째　여덟째　아홉째

개념 ④ 수의 순서 알아보기

- 1부터 9까지의 수를 순서대로 쓰기

> 순서를 거꾸로 하여 쓰면 9가 처음에 오는 수가 돼요.

- 1부터 9까지의 수를 순서를 거꾸로 하여 쓰기

개념 Play

준비물 붙임딱지

순서에 알맞게 블록 붙임딱지를 붙여 보세요.

위에서 넷째 →

아래에서 셋째 →

위에서 다섯째 →

1 순서에 알맞게 이어 보세요.

6   3   8   4

첫째   둘째   셋째   넷째   다섯째   여섯째   일곱째   여덟째   아홉째

2 왼쪽에서 넷째에 ◯표 하세요.

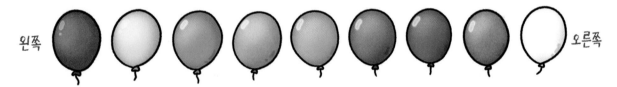

왼쪽   오른쪽

3 I 부터 9까지의 수를 순서대로 이어 보세요.

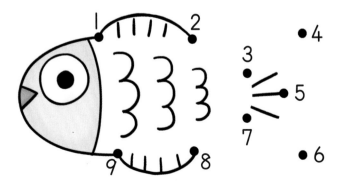

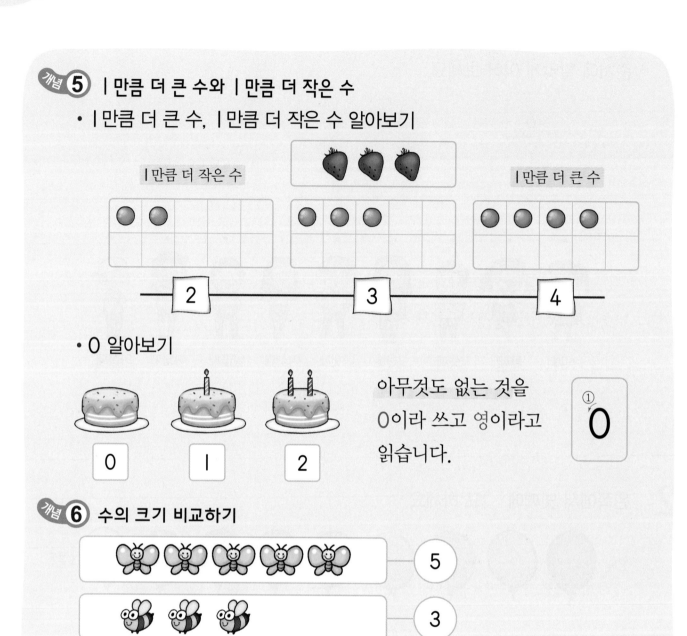

개념 5 | 만큼 더 큰 수와 | 만큼 더 작은 수

• | 만큼 더 큰 수, | 만큼 더 작은 수 알아보기

| 만큼 더 작은 수 | 만큼 더 큰 수

2   3   4

• 0 알아보기

0 | 2

아무것도 없는 것을
0이라 쓰고 영이라고
읽습니다.

0

개념 6 수의 크기 비교하기

5

3

┌ 나비는 벌보다 많습니다. ➡ 5는 3보다 큽니다.
└ 벌은 나비보다 적습니다. ➡ 3은 5보다 작습니다.

개념 Play   준비물 붙임딱지

🎓 주어진 수만큼 접시에 빵을 붙임딱지로 붙여 보세요.

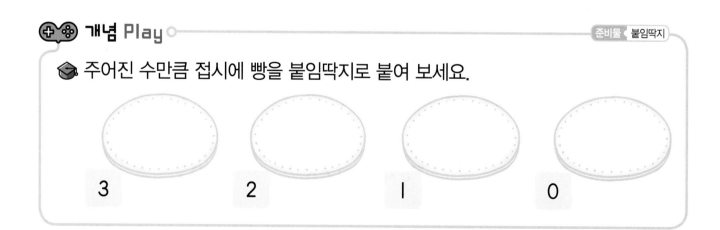

3   2 | 0

1 4보다 1만큼 더 큰 수를 나타낸 것에 ◯표 하세요.

(   )   (   )   (   )

2 수를 보고 ☐ 안에 알맞은 수를 써넣으세요.

(1) 7보다 1만큼 더 큰 수는 ☐입니다.

(2) 6보다 1만큼 더 작은 수는 ☐입니다.

3 그림을 보고 두 수의 크기를 비교해 보세요.

(1) 🍎는 🍏보다 (많습니다 , 적습니다).

(2) 7은 ☐보다 (큽니다 , 작습니다).

4 더 큰 수에 ◯표 하세요.

(1)

4	9

(2)

6	2

준비물 붙임딱지

구멍이 난 기차에 순서에 맞게 붙임딱지를 붙여 기차를 완성하고, 1만큼 더 작은 수와 1만큼
더 큰 수의 붙임딱지까지 붙이면 기차가 출발할 수 있어요.
기차가 출발할 수 있도록 기차를 완성해 보세요.

다섯째
여섯째
일곱째
여덟째
아홉째

1만큼 더 작은 수   6   1만큼 더 큰 수

1만큼 더 작은 수   7   1만큼 더 큰 수

1만큼 더 큰 수

1만큼 더 작은 수   8   1만큼 더 큰 수

집중! 드릴 문제

[1~5] 알맞게 색칠해 보세요.

1

셋	○○○○○○○○○
셋째	○○○○○○○○○

2

다섯	○○○○○○○○○
다섯째	○○○○○○○○○

3

여섯	○○○○○○○○○
여섯째	○○○○○○○○○

4

둘	○○○○○○○○○
둘째	○○○○○○○○○

5

여덟	○○○○○○○○○
여덟째	○○○○○○○○○

[6~10] 순서에 맞게 빈 곳에 알맞은 수를 써넣으세요.

6 2 — 3 — ☐ — ☐ — 6 — 7

7 3 — 4 — ☐ — 6 — ☐ — ☐

8 4 — ☐ — ☐ — 7 — 8 — 9

9 1 — ☐ — ☐ — 4 — ☐ — 6

10 ☐ — 5 — ☐ — 7 — ☐ — ☐

[11~15] I만큼 더 큰 수, I만큼 더 작은 수를 써넣으세요.

11
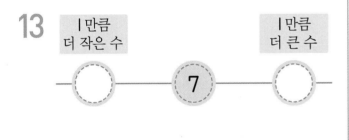

12

13
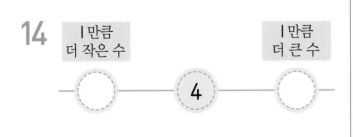

14

15
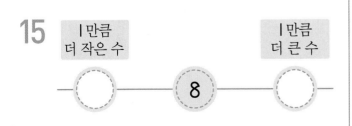

[16~20] 더 큰 수에 ○표, 더 작은 수에 △표 하세요.

16

17

18

19

20

1 순서에 알맞게 이어 보세요.

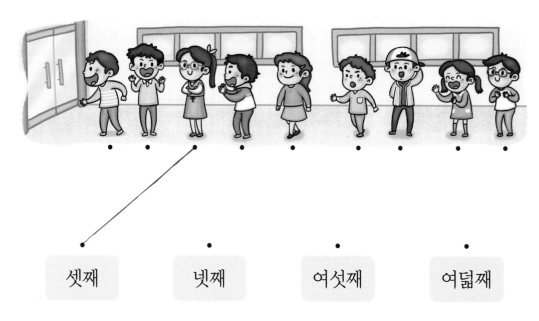

셋째   넷째   여섯째   여덟째

2 순서에 알맞게 수를 써넣으세요.

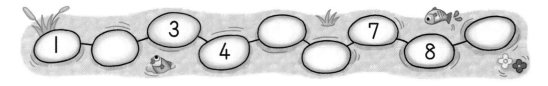

3 바나나의 수를 세어 빈 곳에 알맞은 수를 써넣으세요.

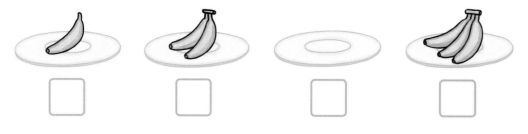

4 알맞게 색칠해 보세요.

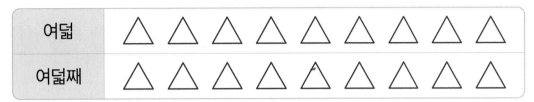

| 여덟 | △ △ △ △ △ △ △ △ △ |
| 여덟째 | △ △ △ △ △ △ △ △ △ |

5 오른쪽에서 다섯째에 있는 풍선에 ◯표 하세요.

6 더 큰 수에 ◯표 하세요.

| 4 | 1 |

| 0 | 3 |

| 7 | 8 |

7 사물함의 번호를 순서에 알맞게 빈 곳에 써넣으세요.

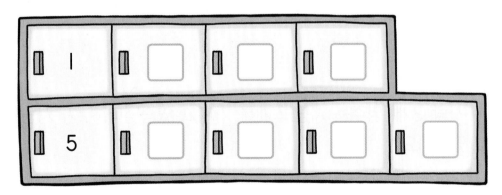

8 5보다 l만큼 더 큰 수를 나타내는 것에 ◯표 하세요.

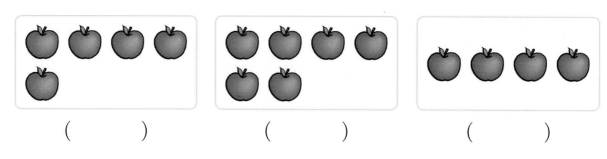

(   )   (   )   (   )

9 순서를 거꾸로 하여 빈 곳에 수를 써넣으세요.

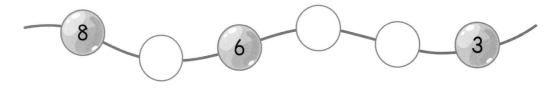

10 l만큼 더 큰 수와 l만큼 더 작은 수를 써넣으세요.

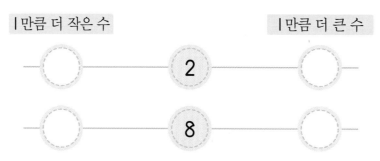

11 준호는 사탕 3개, 영주는 사탕 4개를 가지고 있습니다. 누가 사탕을 더 적게 가지고 있을까요?

(   )

12 □ 안에 알맞은 수를 써넣으세요.

(1) 5보다 1만큼 더 큰 수는 □ 입니다.

(2) 9보다 1만큼 더 작은 수는 □ 입니다.

13 그림을 보고 □ 안에 알맞은 수를 써넣으세요.

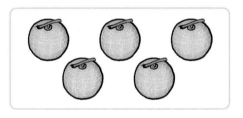 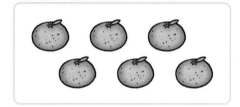

□ 은 □ 보다 큽니다.

□ 는 □ 보다 작습니다.

14 왼쪽의 수보다 큰 수에 모두 ○표 하세요.

| 2 | 6 | 7 | 4 | 3 | 8 |

1 그림을 보고 빈 곳에 알맞은 수를 써넣으세요.

(1)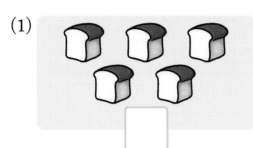

(2)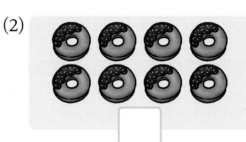

2 주어진 수만큼 ○를 그려 넣으세요.

6

3 강아지의 수를 빈 곳에 써넣고, 두 가지 방법으로 읽어 보세요.

(   ), (   )

4 순서에 알맞게 수를 써넣으세요.

3   ⬚   ⬚   6   ⬚   8

5 왼쪽 그림의 수보다 1만큼 더 작은 수를 나타낸 것에 ○표 하세요.

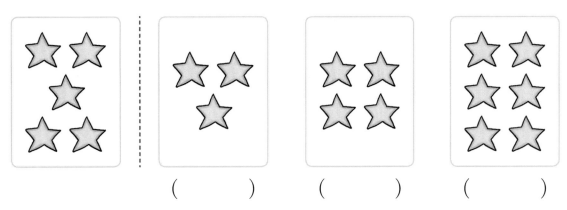

(   )   (   )   (   )

6 알맞게 색칠해 보세요.

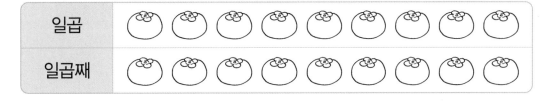

7 수를 순서대로 이어 보세요.

8 왼쪽과 같이 빈칸에 알맞은 수를 써넣고, 더 큰 수에 ◯표 하세요.

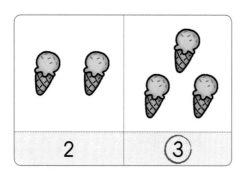

9 빈 곳에 알맞은 수를 써넣으세요.

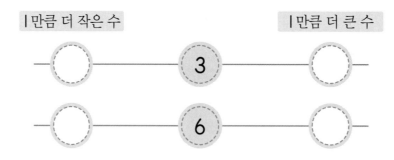

10 다음 수를 큰 수부터 순서대로 써 보세요.

| 3 | 9 | 0 | 5 | 1 |

(   )

2 여러 가지 모양

학습 계획표

내용	쪽수	날짜		확인
교과서 개념 잡기	34~37쪽	월	일	
교과서 개념 play / 집중! 드릴 문제	38~41쪽	월	일	
교과서 개념 확인 문제	42~45쪽	월	일	
교과서 개념 잡기	46~49쪽	월	일	
교과서 개념 play / 집중! 드릴 문제	50~53쪽	월	일	
교과서 개념 확인 문제	54~57쪽	월	일	
개념 확인평가	58~60쪽	월	일	

교과서 개념 잡기

개념 ① 여러 가지 모양 찾아보기

	모양	네모나게 생겼어.
(지우개, 주사위, 큐브, 선물상자)	▨ 모양	네모나게 생겼어.
(캔, 휴지, 건전지, 탬버린)	⬭ 모양	위가 동그랗게 생겼어.
(공, 야구공, 볼링공, 농구공)	◯ 모양	전체가 둥글게 생겼어.

개념 Play

준비물 ◀ 붙임딱지

🎓 친구들이 생각하는 물건은 어떤 모양인지 붙임딱지로 붙여 보세요.

1 보기와 같은 모양에 ○표 하세요.

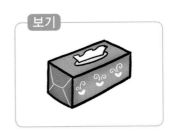
보기

(   )   (   )   (   )

2 모양이 <u>다른</u> 하나에 ○표 하세요.

(   )   (   )   (   )   (   )

3 모양이 같은 것끼리 이어 보세요.

·   ·   ·

·   ·   ·

2. 여러 가지 모양 · **35**

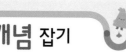

개념**2** 같은 모양끼리 모으기

• 교실에 있는 물건을 같은 모양끼리 모으기

같은 모양을
찾을 때에는 크기나
색깔은 생각하지
않아도 돼요!

개념 Play

준비물 붙임딱지

🎓 같은 모양끼리 모아서 붙임딱지를 붙여 보세요.

📦 모양	🥫 모양	⚪ 모양

1 어떤 모양끼리 모아 놓은 것인지 알맞은 모양에 ○표 하세요.

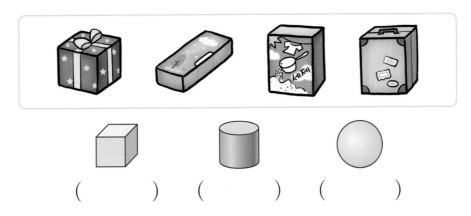

(   )   (   )   (   )

2
단원

2 같은 모양끼리 모은 사람은 누구인지 쓰세요.

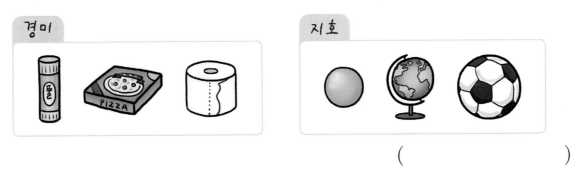

(   )

3 같은 모양끼리 모았습니다. 잘못 모은 것에 ○표 하세요.

(   )   (   )   (   )

준비물 붙임딱지

마트의 진열대에 모양에 맞게 물건들을 진열하려고 해요.
각 모양에 맞게 진열대에 물건 붙임딱지를 붙여 보세요.

집중! 드릴 문제

[1~4] 왼쪽과 같은 모양을 찾아 ○표 하세요.

[5~8] 어떤 모양인지 알맞은 것에 ○표 하세요.

1

(   )   (   )

5
    (, ,)

2

(   )   (   )

6
    (, ,)

3

(   )   (   )

7
    (, ,)

4

(   )   (   )

8
   (, ,)

[9~12] 어떤 모양을 모은 것인지 알맞은 모양에 ◯표 하세요.

9

(⬜ , ⬛ , ⚪)

10

(⬜ , ⬛ , ⚪)

11

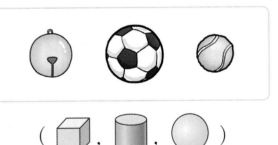

(⬜ , ⬛ , ⚪)

12

(⬜ , ⬛ , ⚪)

[13~16] 모양이 <u>다른</u> 하나를 찾아 ◯표 하세요.

13

( ) ( ) ( ) ( )

14

( ) ( ) ( ) ( )

15

( ) ( ) ( ) ( )

16

( ) ( ) ( ) ( )

1 왼쪽과 같은 모양의 물건에 ○표 하세요.

2 모양이 같은 것끼리 이어 보세요.

 · · · ·

 · · · ·

 · · · ·

3 모양이 <u>아닌</u> 것에 ×표 하세요.

(   )   (   )   (   )   (   )

4 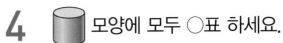 모양에 모두 ○표 하세요.

(   )   (   )   (   )   (   )

5 같은 모양끼리 모은 것에 ○표 하세요.

   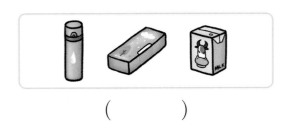

(   )   (   )

6 ⬜ 모양에 □표, 🛢 모양에 △표, ⚪ 모양에 ○표 하세요.

(   )   (   )   (   )

7 어떤 모양끼리 모아 놓은 것인지 알맞은 모양에 ○표 하세요.

8 주어진 모양을 모두 찾아 ○표 하세요.

(1)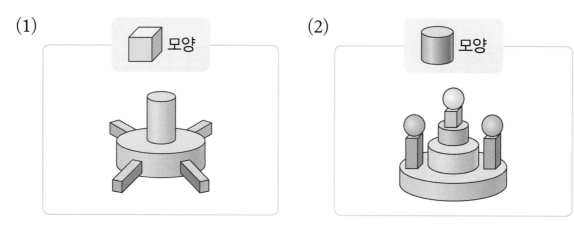

(2)

[9~10] 그림을 보고 물음에 답하세요.

9 탁자 위에 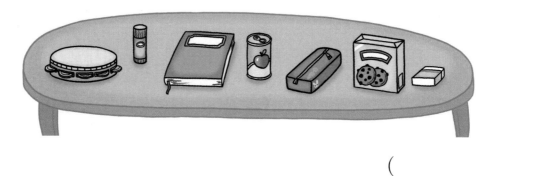 모양의 물건은 모두 몇 개 있을까요?

( )

10 탁자 위에 있는 물건 중에서 찾을 수 <u>없는</u> 모양에 ○표 하세요.

[11~14] 다음 물건 중에서 가장 많은 모양을 찾으려고 합니다. 물음에 답하세요.

11 📦 모양은 모두 몇 개일까요?

(   )

12 🛢 모양은 모두 몇 개일까요?

(   )

13 ⚪ 모양은 모두 몇 개일까요?

(   )

14 가장 많은 모양을 찾아 ○표 하세요.

개념 ③ 여러 가지 모양 알아보기

- 평평한 부분으로만 되어 있습니다.
- 뾰족한 부분이 있습니다.
- 쉽게 쌓을 수 있고, 잘 굴러가지 않습니다.

- 평평한 부분과 둥근 부분이 있습니다.
- 뾰족한 부분이 없습니다.
- 세우면 쌓을 수 있고, 눕히면 잘 굴러갑니다.

- 둥근 부분으로만 되어 있습니다.
- 평평한 부분과 뾰족한 부분이 없습니다.
- 잘 쌓을 수 없고, 잘 굴러갑니다.

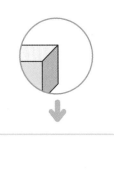

끙! 굴러 가지 않아.

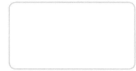

눕히면 잘 굴러가.

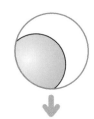

이리저리 잘 굴러가.

🎮 개념 Play

준비물 ⟨ 붙임딱지

🎓 모양의 일부분을 보고 빈 곳에 알맞은 물건의 붙임딱지를 붙여 보세요.

↓

↓

↓

1 상자 안의 물건을 보고 알맞게 이어 보세요.

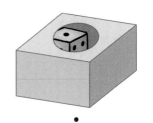  

2
단원

2 알맞은 모양에 ○표 하세요.

> • 평평한 부분과 둥근 부분이 있습니다.
> • 눕혀서 굴리면 잘 굴러갑니다.

(   )   (   )   (   )

3 나은이가 말하는 모양의 물건을 찾아 기호를 써 보세요.

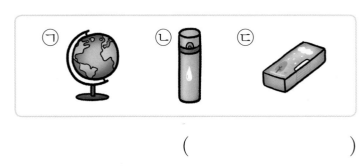

(   )

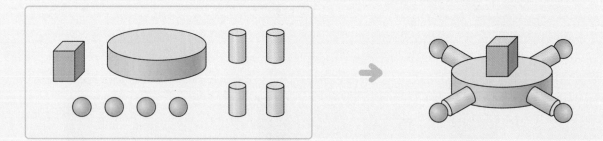

개념 ④ 여러 가지 모양 만들기

 모양을 이용하여 여러 가지 모양 만들기

주어진 모양을 모두 이용하여 드론 모양을 만들었습니다.

오른쪽 드론은 ⬛ 모양 **1**개, 🔵 모양 **5**개, ⚪ 모양 **4**개를 이용하여 만든 것입니다.

⟶ ┌ 가장 많이 이용한 모양: 🔵 모양
　 └ 가장 적게 이용한 모양: ⬛ 모양

개념 Play

🎓 어떤 모양으로 만들었는지 빈 곳에 알맞은 붙임딱지를 모두 붙여 보세요.

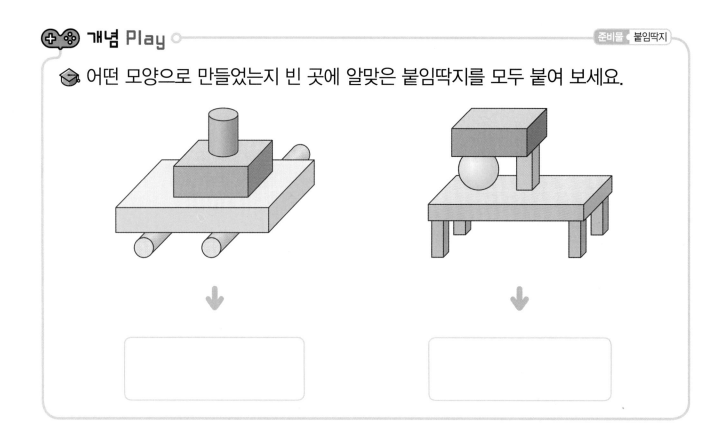

⬇　　　　⬇

1 모양을 만드는 데 이용한 모양에 ○표 하세요.

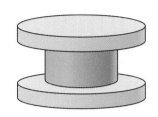

(   ) (   ) (   )

2 모양을 만드는 데 이용하지 <u>않은</u> 모양에 ○표 하세요.

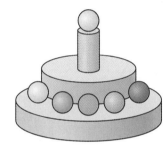

(   ) (   ) (   )

3 모양을 만드는 데 , , ◯ 모양을 몇 개 이용했는지 세어 보세요.

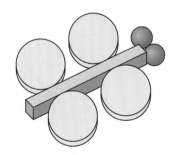

 모양: ☐ 개

 모양: ☐ 개

◯ 모양: ☐ 개

준비물 붙임딱지

문 앞에 상자가 놓여 있어요. 상자 안에는 어떤 모양이 있는지 빈 곳에 붙임딱지를 붙여 보세요.
그리고 문 앞에 있는 모양의 성질에 맞게 붙임딱지를 문에 붙여 보세요.
자~ 이제 문을 완성하여 지저분한 방을 가려 볼까요?

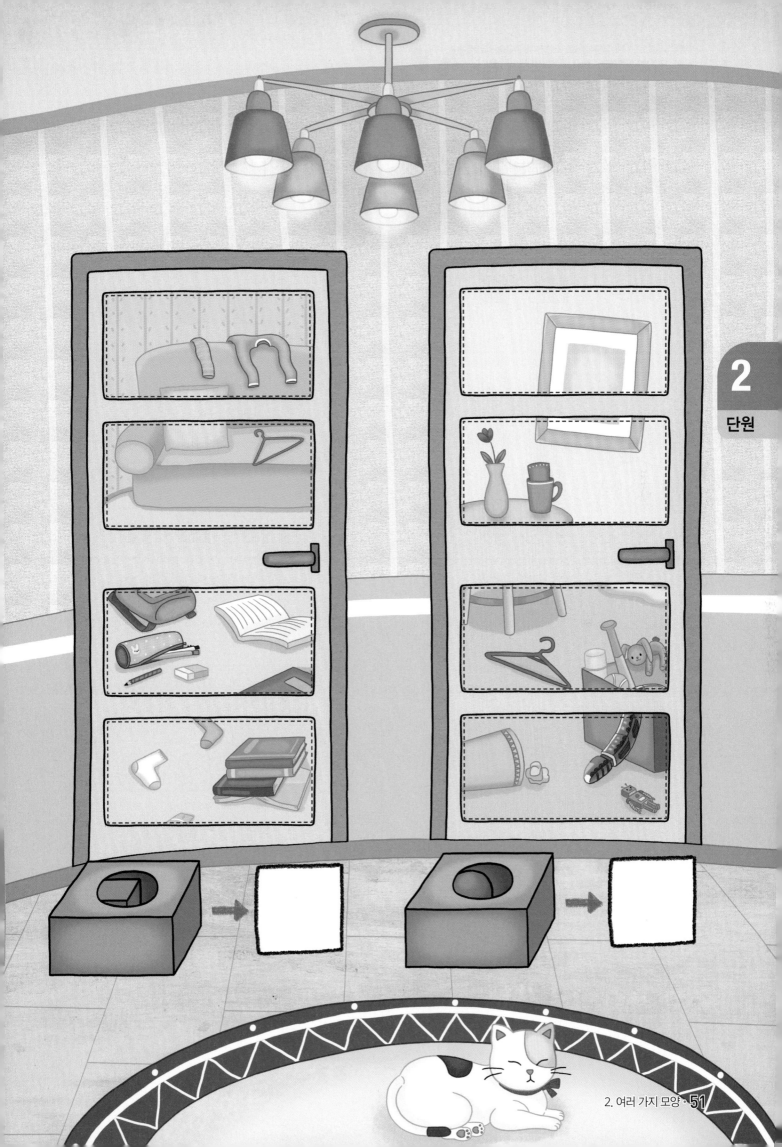

집중! 드릴 문제

[1~4] 어떤 모양의 일부분인지 알맞은 것에 ○표 하세요.

1

 ( )

2

 ( )

3

 ( )

4

 ()

[5~8] 설명에 알맞은 모양을 찾아 ○표 하세요.

5

모든 부분이 둥급니다.

()

6

둥근 부분이 없습니다.

( )

7

둥근 부분과 평평한 부분이 모두 있습니다.

( )

8

잘 굴러가지만 쌓을 수 없습니다.

( )

[9~11] 모양을 만드는 데 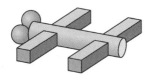, 모양을 몇 개 이용했는지 세어 보세요.

9

모양	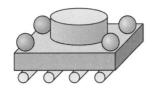		
개수(개)			

10

모양			
개수(개)			

11

모양			
개수(개)			

[12~14] 다음 모양을 만드는 데 가장 많이 이용한 모양을 찾아 ○표 하세요.

12

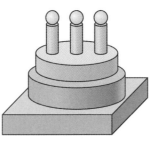

()

13

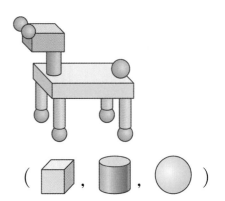

( )

14

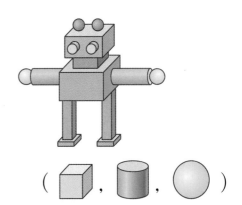

( )

1 상자 안의 모양을 보고 알맞은 모양을 찾아 ○표 하세요.

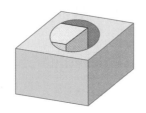

2 어느 방향으로 굴려도 잘 구르는 모양을 찾아 ○표 하세요.

(　　　　)　　　　(　　　　)　　　　(　　　　)

3 모양에 알맞은 물건을 모두 찾아 이어 보세요.

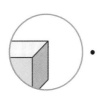　·

　·

　·

·　

·　

·　

·　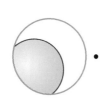

·

4 왼쪽 물건을 종이에 대고 그렸을 때 나오는 모양을 찾아 이어 보세요.

2
단원

5 설명에 맞는 모양을 찾아 이어 보세요.

평평한 부분과 둥근 부분이 있어.

둥근 부분만 있어서 쌓을 수 없어.

평평한 부분과 뾰족한 부분이 많아.

6 다음 설명을 모두 만족하는 모양을 찾아 ○표 하세요.

• 둥근 부분이 있습니다.
• 잘 쌓을 수 있습니다.

(, ,)

7 모양을 만드는 데 이용한 모양을 모두 찾아 ◯표 하세요.

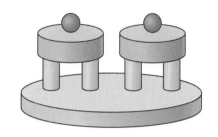

8 모양을 만드는 데 ⬜, 🟦, ⚪ 모양을 몇 개 이용했는지 세어 보세요.

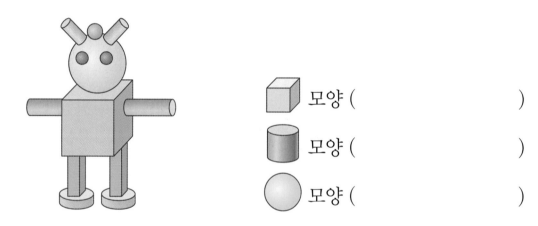

⬜ 모양 (   )

🟦 모양 (   )

⚪ 모양 (   )

9 왼쪽 모양에 대한 설명으로 <u>틀린</u> 것을 찾아 기호를 써 보세요.

㉠ 평평한 부분이 있습니다.

㉡ 모든 방향으로 잘 굴러갑니다.

㉢ 둥근 부분이 있습니다.

(   )

10 보기 의 모양을 모두 이용하여 만든 모양을 찾아 ○표 하세요.

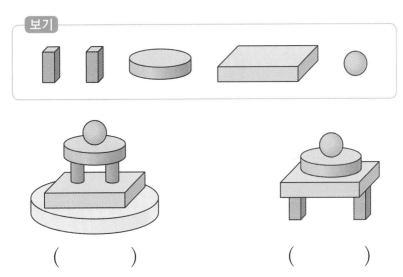

(   )   (   )

11 버스의 바퀴 모양으로 알맞은 모양을 찾아 ○표 하고, 그 이유를 설명해 보세요.

이유 _____

_____

_____

개념 확인평가

2. 여러 가지 모양

1 보기와 같은 모양에 ◯표 하세요.

보기

　　　　　　　　　(　　　)　(　　　)　(　　　)

2 어떤 모양을 모은 것인지 알맞은 모양에 ◯표 하세요.

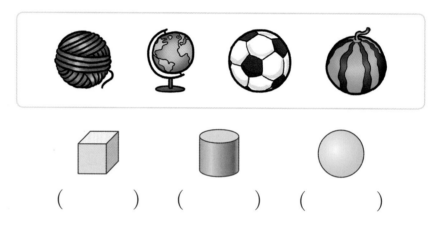

(　　　)　　(　　　)　　(　　　)

3 모양은 모두 몇 개 있을까요?

(　　　　　)

4 어떤 모양의 일부분입니다. 어떤 모양인지 알맞은 모양에 ○표 하세요.

  ( ) ( ) ( )

5 모양에 대한 설명으로 잘못 말한 친구의 이름을 써 보세요.

세형 : 한쪽 방향으로 잘 굴러가.

지우 : 뾰족한 부분도 있어.

준수 : 평평한 부분이 있지.

( )

6 모양을 만드는 데 , , ◯ 모양을 몇 개 이용했는지 세어 보세요.

 모양 ( )

 모양 ( )

 모양 ( )

7 퍼즐 조각을 맞추어 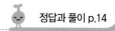 모양을 완성하려고 합니다. 빈칸에 들어갈 퍼즐 조각에 ○표 하세요.

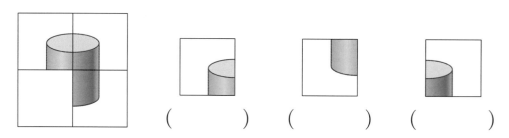

(   )   (   )   (   )

8 왼쪽 모양을 만드는 데 가장 많이 이용한 모양에 ○표 하세요.

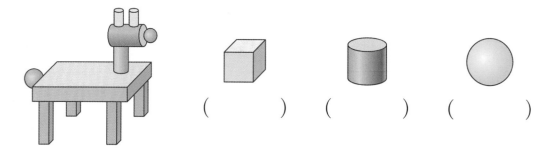

(   )   (   )   (   )

9 보기의 모양을 모두 이용하여 만든 모양을 찾아 기호를 써 보세요.

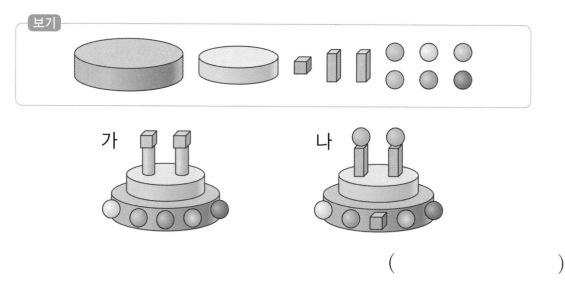

가   나

(   )

3 덧셈과 뺄셈

교과서 **개념** 잡기

개념 ① 모으기와 가르기

• 9까지의 수를 모으기

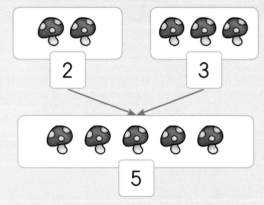

➡ 2와 3을 모으면 5가 됩니다.

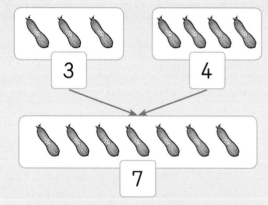

➡ 3과 4를 모으면 7이 됩니다.

• 9까지의 수를 가르기

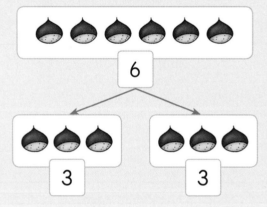

➡ 6은 3과 3으로 가를 수 있습니다.

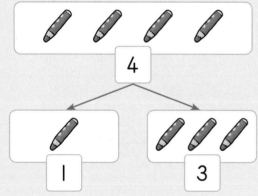

➡ 4는 1과 3으로 가를 수 있습니다.

개념 Play

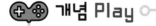

준비물 붙임딱지

🎓 모으기와 가르기를 하여 알맞은 수만큼 붙임딱지를 붙여 보세요.

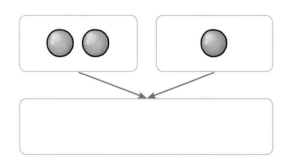

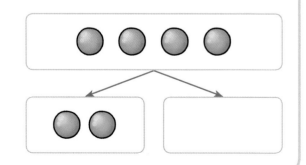

1 그림을 보고 빈 곳에 알맞은 수를 써넣으세요.

(1)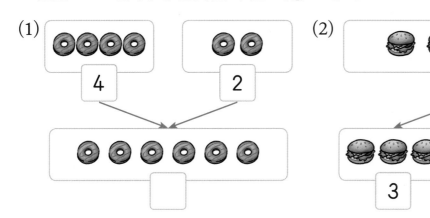

(2)

2 모으기와 가르기를 해 보세요.

(1)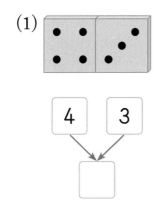

(2)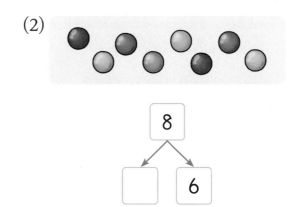

3 빈 곳에 알맞은 수를 써넣으세요.

(1)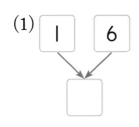

(2)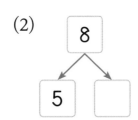

(3)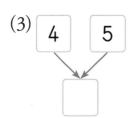

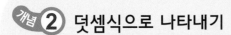

개념 ② 덧셈식으로 나타내기

쓰기 $3+1=4$

읽기 ┌ 3 더하기 1은 4와 같습니다.
    └ 3과 1의 합은 4입니다.

더하기는 +,
같다는 =로
나타내요.

개념 ③ 덧셈하기

· 그림을 그려서 덧셈하기

꽃 1송이에 ◯를 1개씩 그립니다.

$5+3=8$

· 모으기를 이용하여 덧셈하기

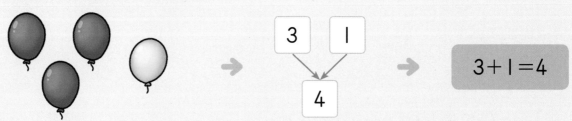

$3+1=4$

🎓 초콜릿의 수만큼 ◯ 붙임딱지를 붙인 다음 덧셈을 해 보세요.

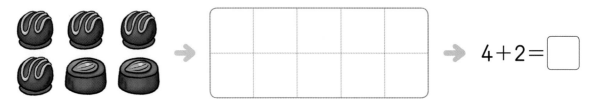

$4+2=\boxed{}$

1 그림에 알맞은 덧셈식을 쓰고 읽어 보세요.

쓰기 4+3=☐

읽기 4 더하기 ☐ 은 ☐ 과 같습니다.

2 그림을 보고 덧셈식을 써 보세요.

(1)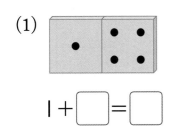

1+☐=☐

(2)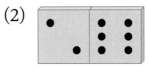

☐+6=☐

3 그림의 수만큼 ○를 그려 덧셈을 하세요.

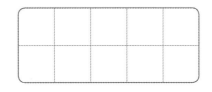

3+3=☐

4 그림을 보고 빈 곳에 알맞은 수를 써넣으세요.

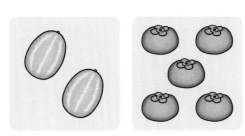

2+5=☐

준비물 붙임딱지

하늘에는 열기구가 있고, 땅에는 자동차가 있어요. 모으기와 가르기를 이용하여 열기구에는 바구니 붙임딱지를, 자동차에는 바퀴 붙임딱지를 붙여 열기구와 자동차를 완성해 보세요.

[1~5] 모으기를 해 보세요.

1
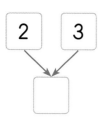

2
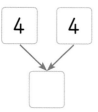

3
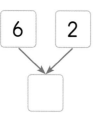

4
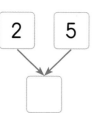

5
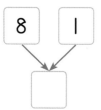

[6~10] 가르기를 해 보세요.

6
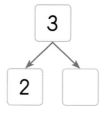

7
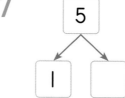

8
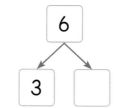

9
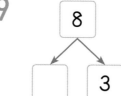

10

[11~14] 그림을 보고 알맞은 덧셈식을 써 보세요.

11

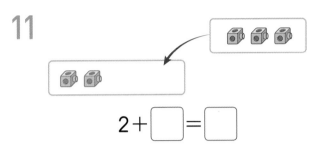

$2+\boxed{}=\boxed{}$

12

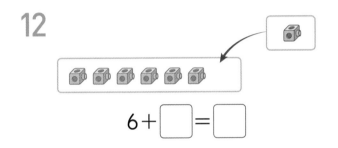

$6+\boxed{}=\boxed{}$

13

$\boxed{}+3=\boxed{}$

14

$\boxed{}+\boxed{}=\boxed{}$

[15~20] 덧셈을 해 보세요.

15 $2+2=\boxed{}$

16 $1+4=\boxed{}$

17 $5+2=\boxed{}$

18 $3+6=\boxed{}$

19 $7+1=\boxed{}$

20 $4+2=\boxed{}$

3

단원

1 모으기와 가르기를 해 보세요.

(1)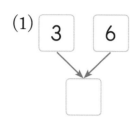

(2)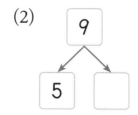

(3)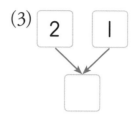

2 연필과 지우개를 모으기 하여 4가 되는 것끼리 이어 보세요.

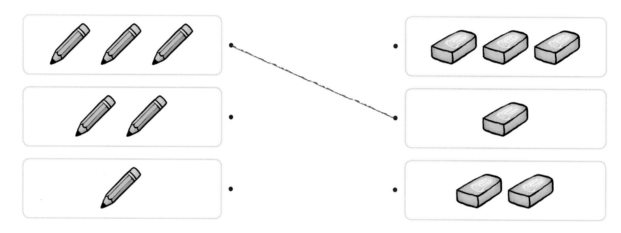

3 여러 가지 방법으로 가르기를 해 보세요.

(1)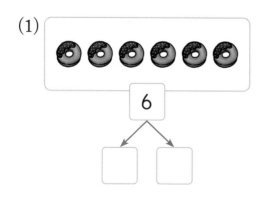

(2)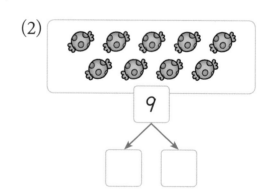

4 그림을 보고 이야기를 만들어 보세요.

놀이터에 어린이 **4**명이 놀고 있는데 ☐명이 더 놀러 와서

어린이는 모두 ☐명이 되었습니다.

5 그림에 알맞은 덧셈식에 ◯표 하세요.

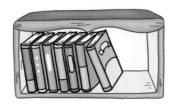 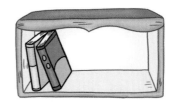

6+2=8   7+2=9   5+2=7

(   )   (   )   (   )

6 덧셈식을 읽어 보세요.

6+2=8

┌ 6 더하기 ☐는 ☐과 같습니다.

└ 6과 ☐의 합은 ☐입니다.

7 모으기를 이용하여 덧셈을 해 보세요.

(1)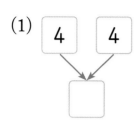

$4+4=$ ☐

(2)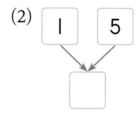

$1+5=$ ☐

8 5를 여러 가지 방법으로 가르기 해 보세요.

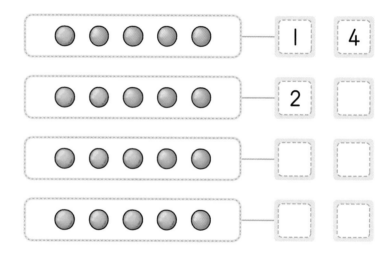

9 도미노 점을 보고 덧셈식을 써 보세요.

(1)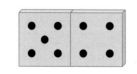

☐ $+$ ☐ $=$ ☐

(2)

☐ $+$ ☐ $=$ ☐

10 덧셈을 해 보세요.

(1) 2+7=☐

(2) 5+3=☐

(3) 4+2=☐

(4) 2+1=☐

11 합이 6이 되는 덧셈식을 2개 만들어 보세요.

6=☐+☐   6=☐+☐

3

단원

12 모으기를 하여 9가 되도록 두 수씩 묶어 보세요.

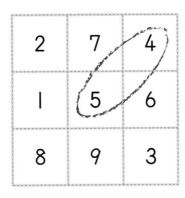

13 민정이는 칭찬 붙임딱지를 어제는 4장, 오늘은 1장 받았습니다. 민정이가 받은 칭찬 붙임딱지는 모두 몇 장일까요?

(   )

교과서 **개념** 잡기

개념 ④ 뺄셈식으로 나타내기

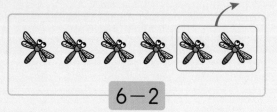

쓰기 6-2=4

읽기 ┌ 6 빼기 2는 4와 같습니다.
         └ 6과 2의 차는 4입니다.

빼기는 ㅡ,
같다는 =로
나타내요.

개념 ⑤ 뺄셈하기

• 그림을 그려서 뺄셈하기

7-2=5

• 가르기를 이용하여 뺄셈하기

5

2   3   →   5-2=3

개념 O X

🎓 그림에 맞는 식이면 ◯표, 틀리면 ✕표 하세요.

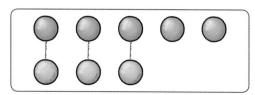

5-3=2

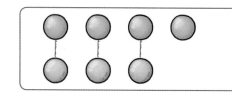

4-3=3

1 그림에 알맞은 뺄셈식을 쓰고 읽어 보세요.

쓰기 $7-4=\boxed{}$

읽기 7 빼기 $\boxed{}$ 는 $\boxed{}$ 과 같습니다.

2 그림을 보고 뺄셈식을 써 보세요.

(1)

$5-1=\boxed{}$

(2)

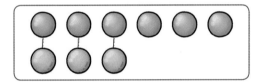

$6-3=\boxed{}$

3 그림을 보고 빈 곳에 알맞은 수를 써넣으세요.

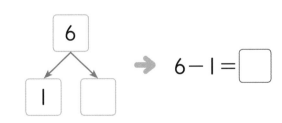

$$6-1=\boxed{}$$

개념 **6** 0을 더하거나 빼기

• 0에 더하기

0+2=2

• 0을 더하기

3+0=3

┌ 0에 어떤 수를 더하면 어떤 수가 됩니다. ➡ 0+■=■
└ 어떤 수에 0을 더하면 어떤 수가 됩니다. ➡ ■+0=■

• 0을 빼기

한 명도 안 내렸네.

4−0=4

• 0이 되게 빼기

5−5=0

┌ 어떤 수에서 0을 빼면 어떤 수가 됩니다. ➡ ■−0=■
└ 어떤 수에서 그 수 전체를 빼면 0이 됩니다. ➡ ■−■=0

개념 **7** 덧셈과 뺄셈하기

• 덧셈하기

3+1=4
3+2=5
3+3=6
3+4=7

더하는 수가 1씩 커지면 합도 1씩 커집니다.

• 뺄셈하기

8−1=7
8−2=6
8−3=5
8−4=4

빼는 수가 1씩 커지면 차는 1씩 작아집니다.

1 그림을 보고 ☐ 안에 알맞은 수를 써넣으세요.

(1)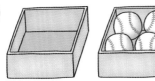

$$0+4=\boxed{}$$

(2)

$$6-6=\boxed{}$$

2 덧셈과 뺄셈을 해 보세요.

(1) $0+8=\boxed{}$

(2) $7-0=\boxed{}$

(3) $3+0=\boxed{}$

(4) $9-9=\boxed{}$

3 그림을 보고 알맞은 덧셈식을 써 보세요.

(1)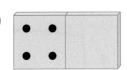

$$4+0=\boxed{}$$

(2)

$$\boxed{}+6=\boxed{}$$

4 ☐ 안에 알맞은 수를 써넣으세요.

(1) $4+2=\boxed{}$

$4+3=\boxed{}$

$4+4=\boxed{}$

(2) $4-2=\boxed{}$

$5-2=\boxed{}$

$6-2=\boxed{}$

준비물 ◀ 색연필

덧셈과 뺄셈을 하여 계산 결과에 맞게 크레파스의 색과 같은 색으로 칠해 보세요.
어떤 그림이 완성될까요?

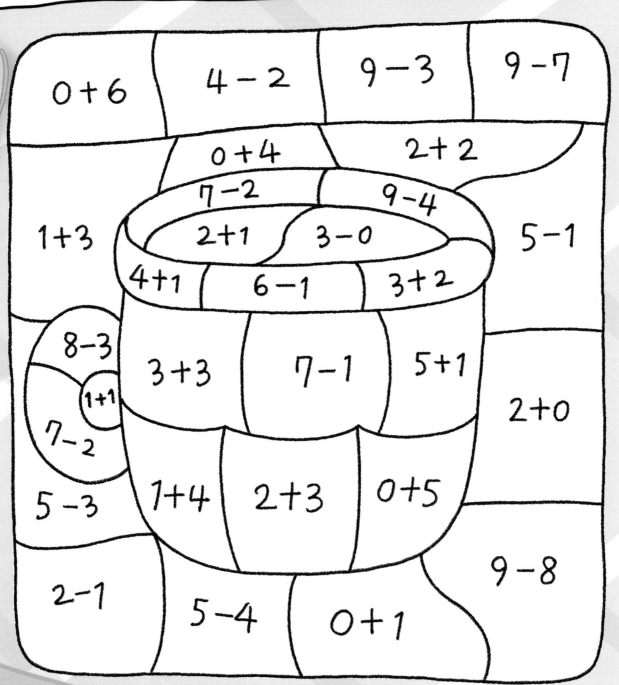

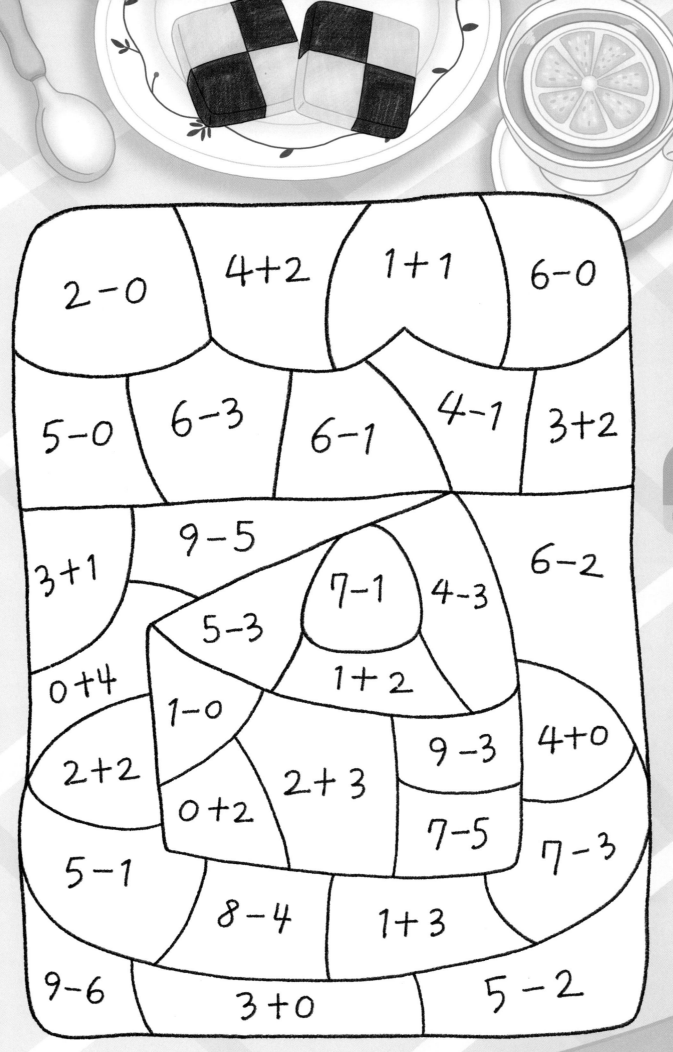

집중! 드릴 문제

[1~4] 그림에 알맞은 뺄셈식을 써 보세요.

1

$5-2=\boxed{}$

2

$6-\boxed{}=\boxed{}$

3

$7-2=\boxed{}$

4

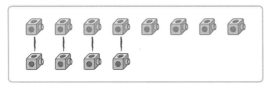

$\boxed{}-4=\boxed{}$

[5~10] 뺄셈을 해 보세요.

5 $3-1=\boxed{}$

6 $5-4=\boxed{}$

7 $6-3=\boxed{}$

8 $7-5=\boxed{}$

9 $8-6=\boxed{}$

10 $9-2=\boxed{}$

[11~16] □ 안에 알맞은 수를 써넣으세요.

11 $3+0=\boxed{}$

12 $6+\boxed{}=6$

13 $\boxed{}+0=8$

14 $2-2=\boxed{}$

15 $5-\boxed{}=5$

16 $\boxed{}-0=9$

[17~18] 덧셈을 해 보세요.

17 $4+1=\boxed{}$

$4+2=\boxed{}$

$4+3=\boxed{}$

18 $0+6=\boxed{}$

$1+5=\boxed{}$

$2+4=\boxed{}$

[19~20] 뺄셈을 해 보세요.

19 $5-1=\boxed{}$

$5-2=\boxed{}$

$5-3=\boxed{}$

20 $6-1=\boxed{}$

$7-2=\boxed{}$

$8-3=\boxed{}$

3

단원

1 그림을 보고 알맞은 뺄셈식을 써 보세요.

(1)
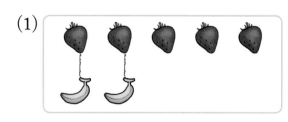

☐ − ☐ = ☐

(2)
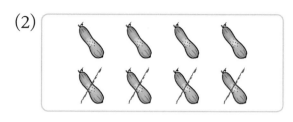

☐ − ☐ = ☐

2 뺄셈식을 쓰고 읽어 보세요.

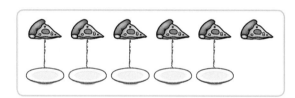

쓰기 6 − ☐ = ☐

읽기 6과 ☐의 차는 ☐입니다.

3 관계있는 것끼리 이어 보세요.

•

• 4 − 2 = 2

• 6 − 3 = 3

• 9 − 4 = 5

•

• 6 − 4 = 2

4 뺄셈식으로 나타내어 보세요.

> 9 빼기 7은 2와 같습니다.

식 _____

5 그림을 보고 알맞은 뺄셈식을 써 보세요.

(1)

$5-\boxed{}=\boxed{}$

(2)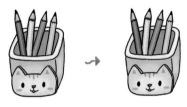

$4-\boxed{}=\boxed{}$

6 덧셈과 뺄셈을 해 보세요.

(1) $7+0=\boxed{}$

(2) $0+4=\boxed{}$

(3) $5-5=\boxed{}$

(4) $8-0=\boxed{}$

7 가르기를 이용하여 뺄셈을 해 보세요.

(1)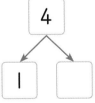

$4-1=\boxed{}$

(2)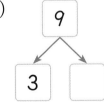

$9-3=\boxed{}$

8 덧셈과 뺄셈을 해 보세요.

(1)
$2+5=\boxed{}$

$3+4=\boxed{}$

$4+3=\boxed{}$

$5+2=\boxed{}$

(2)
$8-1=\boxed{}$

$8-2=\boxed{}$

$8-3=\boxed{}$

$8-4=\boxed{}$

9 합과 차가 같은 것끼리 이어 보세요.

$\boxed{4+4}$ •

$\boxed{0+5}$ •

$\boxed{3+1}$ •

• $8-4$

• $9-1$

• $7-2$

10 빈 곳에 알맞은 수를 써넣으세요.

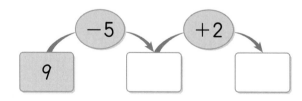

11 계산 결과가 가장 큰 것에 ◯표 하세요.

8-8	3+2	5-1	4+0
( )	( )	( )	( )

12 ☐ 안에 들어갈 수가 <u>다른</u> 하나를 찾아 기호를 써 보세요.

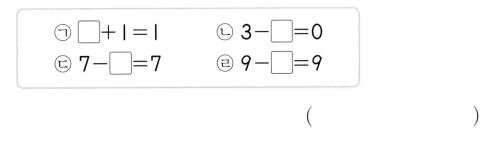

㉠ ☐+1=1   ㉡ 3-☐=0
㉢ 7-☐=7   ㉣ 9-☐=9

(   )

3
단원

13 ☐ 안에 +, −를 알맞게 써넣으세요.

(1) 5☐2=7   (2) 9☐3=6

(3) 4☐1=5   (4) 2☐2=0

14 세 수를 모두 이용하여 덧셈식과 뺄셈식을 만들어 보세요.

3	7	4

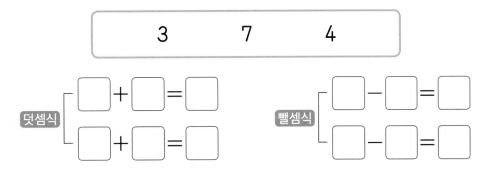

덧셈식 ☐+☐=☐
       ☐+☐=☐

뺄셈식 ☐-☐=☐
       ☐-☐=☐

1 그림을 보고 ☐ 안에 알맞은 수를 써넣으세요.

풍선이 ☐개 있었는데 ☐개가 터져서 ☐개가 남았습니다.

2 그림을 보고 덧셈과 뺄셈을 하세요.

(1)

$5+3=$ ☐

(2)

$6-4=$ ☐

3 빈 곳에 알맞은 수를 써넣으세요.

(1)

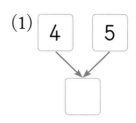

(2)

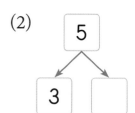

4 덧셈과 뺄셈을 하세요.

(1) $3+4=$ ☐

(2) $8-8=$ ☐

5 모으기 하여 8이 되는 두 수를 찾아 ○표 하세요.

| I | 5 | 3 | 4 | 0 |

6 그림에 알맞은 덧셈식을 쓰고 읽어 보세요.

쓰기 _____

읽기 _____

7 빈칸에 알맞은 수를 써넣으세요.

(1)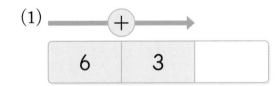

| 6 | 3 | |

(2)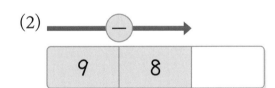

| 9 | 8 | |

8 □ 안에 +, −를 알맞게 써넣으세요.

(1) 2 □ 5 = 7

(2) 5 □ 5 = 0

9 계산 결과가 가장 큰 것에 ◯표 하세요.

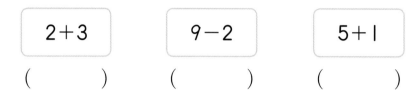

$$2+3 \qquad 9-2 \qquad 5+1$$

(   )   (   )   (   )

10 차가 4가 되는 뺄셈식을 3가지 만들어 보세요.

$$\square-\square=4 \qquad \square-\square=4 \qquad \square-\square=4$$

11 사탕을 미진이는 3개 가지고 있고, 윤호는 5개 가지고 있습니다. 미진이와 윤호가 가지고 있는 사탕은 모두 몇 개일까요?

(   )

12 수 카드 중에서 가장 큰 수와 가장 작은 수의 차를 구해 보세요.

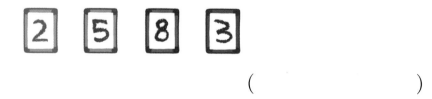

$$\boxed{2} \quad \boxed{5} \quad \boxed{8} \quad \boxed{3}$$

(   )

4 비교하기

개념① 길이 비교하기

• 두 가지 물건의 길이 비교하기

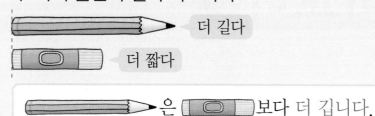
더 길다
더 짧다

> 두 물건의 한쪽 끝을 맞추어 맞대어 봐요.

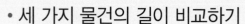은 보다 더 깁니다.
은 보다 더 짧습니다.

• 세 가지 물건의 길이 비교하기

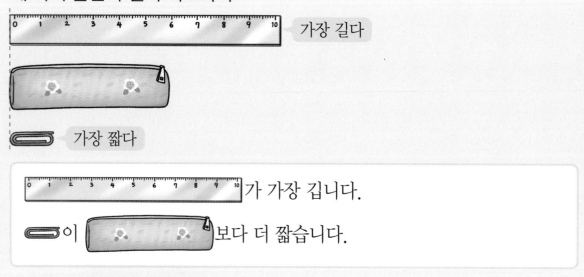
가장 길다
가장 짧다

가 가장 깁니다.
이 보다 더 짧습니다.

> **물건의 길이를 비교하는 방법**
> 물건의 한쪽 끝을 맞추어 맞대었을 때 다른 쪽 끝이 가장 많이 나온 물건이 가장 길고, 가장 조금 나온 물건이 가장 짧습니다.

• 키 비교하기

더 작다   더 크다

• 높이 비교하기

더 높다   더 낮다

1 더 긴 것에 ○표 하세요.

(1)  (   )

(   )

(2) 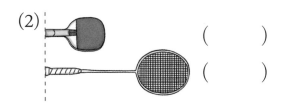 (   )

(   )

2 더 짧은 것에 △표 하세요.

(1) 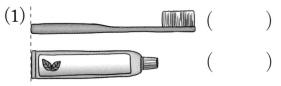 (   )

(   )

(2)  (   )

(   )

3 가장 긴 것에 ○표 하세요.

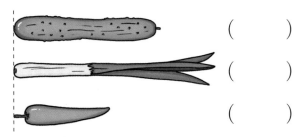

(   )

(   )

(   )

4 키가 더 큰 쪽에 ○표 하세요.

(1)

(   )   (   )

(2)

(   )   (   )

4

단원

개념 ② 무게 비교하기

• 두 가지 물건의 무게 비교하기

손으로 들어서 비교하기	양팔저울을 이용하여 비교하기

더 가볍다　　더 무겁다

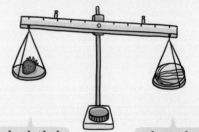

더 가볍다　　더 무겁다

는 보다 더 무겁습니다.

는 보다 더 가볍습니다.

양팔저울이나 시소는 아래로 내려간 쪽이 더 무거워요.

• 세 가지 물건의 무게 비교하기

가장 무겁다　　　　가장 가볍다

이 가장 무겁습니다.

은 보다 더 가볍습니다.

개념 Play

준비물 붙임딱지

윗접시저울에 야구공과 농구공 붙임딱지를 알맞게 붙이고, 알맞은 그림에 ○표 하세요.

더 무거운 것은 (🎾 , 🏀)입니다.

⟶ 윗접시저울이라고 해요.

1 더 무거운 것에 ○표 하세요.

(1)

(   )   (   )

(2)

(   )   (   )

2 더 가벼운 것에 △표 하세요.

(1)

(   )   (   )

(2)

(   )   (   )

3 가장 무거운 것에 ○표 하세요.

(   )   (   )   (   )

4 더 가벼운 쪽에 △표 하세요.

(1)

(   )   (   )

(2)

(   )   (   )

길이와 무게 비교하기

준비물 붙임딱지

어머니께서 저녁 식사를 준비하기 위해 채소 가게와 생선 가게에서 장을 보았어요.
두 가게에서 산 것을 각각 알맞게 붙임딱지를 붙이고 길이를 비교해 보세요.

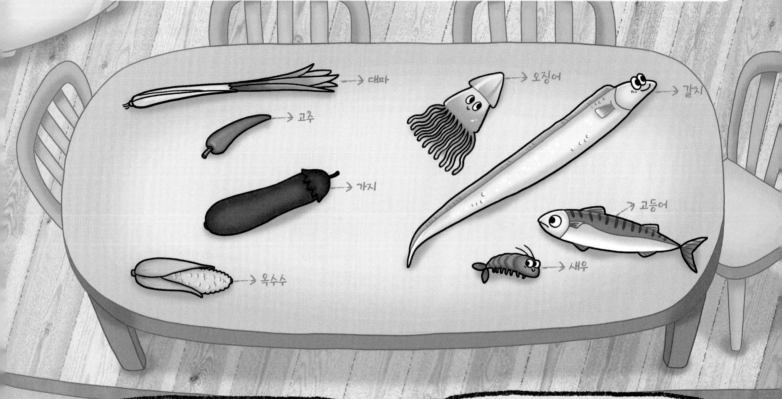

채소 가게에서 산 것을
길이가 긴 것부터 붙여 보세요.

생선 가게에서 산 것을
길이가 짧은 것부터 붙여 보세요.

| 대파 | 가 가장 깁니다.

| | 가 가장 짧습니다.

| | 가 가장 깁니다.

| | 가 가장 짧습니다.

집 안에 있는 동물과 집 밖에 있는 동물끼리 각각 기울어진 시소에 알맞게 붙임딱지를 붙이고 무게를 비교해 보세요.

→새

→고양이

→돼지

→개

→젖소

→닭

집 안에 있는 동물

집 밖에 있는 동물

새 가 가장 가볍습니다.

□ 가 가장 무겁습니다.

□이(가) 가장 가볍습니다.

□이(가) 가장 무겁습니다.

집중! 드릴 문제

[1~4] 더 짧은 것에 △표 하세요.

1 ( )
( )

2 ( )
( )

3 ( )
( )

4 ( )
( )

[5~8] 가장 긴 것에 ○표 하세요.

5  ( )
( )
( )

6 ( )
( )
( )

7 ( )
( )
( )

8 ( )
( )
( )

[9~12] 더 무거운 것에 ○표 하세요.

9

(   )   (   )

10

(   )   (   )

11

(   )   (   )

12

(   )   (   )

[13~16] 가장 가벼운 것에 △표 하세요.

13

(   ) (   ) (   )

14

(   ) (   ) (   )

15

(   ) (   ) (   )

16

(   ) (   ) (   )

4 단원

교과서 개념 확인 문제

1 알맞은 것끼리 이어 보세요.

- 더 길다
- 더 짧다

2 더 높은 것에 ○표 하세요.

(1)

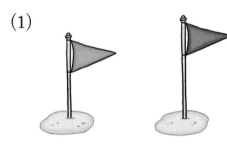

( )   ( )

(2)

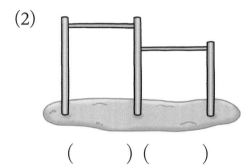

( )   ( )

3 더 짧은 것에 △표 하세요.

( )

( )

4 더 가벼운 것에 △표 하세요.

(1)

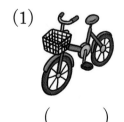 

( )   ( )

(2)

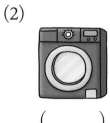

( )   ( )

5 가장 긴 것에 ◯표, 가장 짧은 것에 △표 하세요.

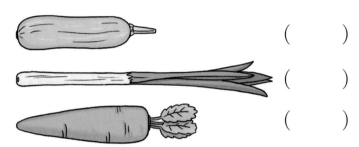

(   )

(   )

(   )

6 젓가락보다 더 긴 것에 모두 ◯표 하세요.

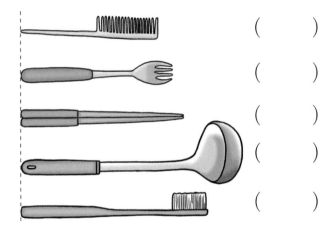

(   )

(   )

(   )

(   )

(   )

7 가장 무거운 것에 ◯표, 가장 가벼운 것에 △표 하세요.

(   )   (   )   (   )

4

단원

8 왼쪽 의자보다 더 가벼운 것에 △표 하세요.

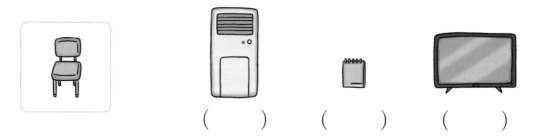

(   )   (   )   (   )

9 수지와 영후가 시소를 타고 있습니다. ☐ 안에 이름을 알맞게 써넣으세요.

☐ 는 ☐ 보다

더 가볍습니다.

10 가장 긴 줄넘기를 찾아 기호를 써 보세요.

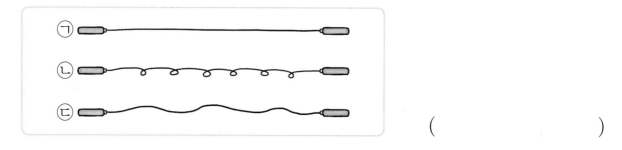

(   )

11 다음 문장에서 틀린 곳을 찾아 ×표 하고 바르게 고쳐 보세요.

> 언니는 나보다 키가 더 높습니다.

➡ _____

12 재활용품을 옮기고 있습니다. 자루 안에 들어 있는 물건을 찾아 이어 보세요.

13 가장 무거운 사람은 누구인지 써 보세요.

민재　　　　정호　　　　　민재　　　　　용빈

(　　　　　　　　　　　　　)

14 접은 종이 위에 물건을 올려놓았습니다. 색연필과 필통 중 더 무거운 쪽에 ◯표 하세요.

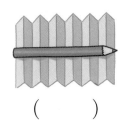

(　　　)　　　　　　(　　　)

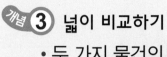 **3** 넓이 비교하기

• 두 가지 물건의 넓이 비교하기

더 넓다   더 좁다

> 한쪽 끝을 맞추어 겹쳤을 때 남는 부분이 있는 것이 더 넓어요.

• 세 가지 물건의 넓이 비교하기

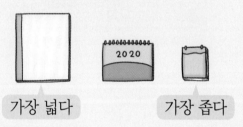

가장 넓다   가장 좁다

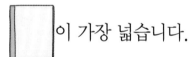

🎮 **개념 Play**

준비물 붙임딱지

🎓 이불 위에 방석 붙임딱지를 붙여 보고, 알맞은 그림에 ○표 하세요.

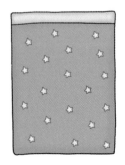 더 넓은 것은 ( ,   )입니다.

1 더 넓은 것에 ◯표 하세요.

(1)

(   )   (   )

(2)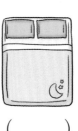

(   )   (   )

2 더 좁은 것에 △표 하세요.

(1)

(   )   (   )

(2)

(   )   (   )

3 가장 넓은 것에 ◯표 하세요.

(   )   (   )   (   )

4 가장 좁은 것에 △표 하세요.

(   )   (   )   (   )

4

단원

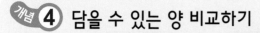

개념 ④ 담을 수 있는 양 비교하기

• 두 가지 그릇에 담을 수 있는 양 비교하기

    더 많다   더 적다

> 그릇의 크기가
> 클수록 담을 수 있는
> 양이 더 많아요.

는 보다 담을 수 있는 양이 더 많습니다.

은 보다 담을 수 있는 양이 더 적습니다.

• 세 가지 그릇에 담을 수 있는 양 비교하기

  가장 많다   가장 적다

이 담을 수 있는 양이 가장 많습니다.

은 보다 담을 수 있는 양이 더 적습니다.

• 그릇에 담긴 양 비교하기

 더 많다 더 적다   더 많다 더 적다

그릇의 모양과 크기가 같을 때에는 담긴 높이가 높을수록 담긴 양이 더 많습니다.

담긴 높이가 같을 때에는 그릇의 크기가 클수록 담긴 양이 더 많습니다.

1 담을 수 있는 양이 더 많은 것에 ◯표 하세요.

(1)   (2)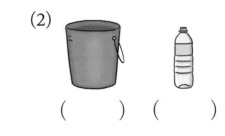

   (   )   (   )   (   )   (   )

2 담긴 물의 양이 더 적은 것에 △표 하세요.

(1) 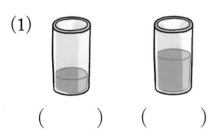   (2)

   (   )   (   )   (   )   (   )

3 물이 가장 많이 담긴 것에 ◯표 하세요.

   (   )   (   )   (   )

4 담을 수 있는 양이 가장 적은 것에 △표 하세요.

   (   )   (   )   (   )

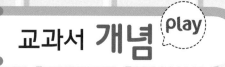 **넓이와 물의 양 비교하기**

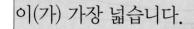 준비물 붙임딱지

햄스터가 고양이를 피해 물건으로 몸을 가리려고 해요.
붙임딱지를 붙여 햄스터를 숨기고 물건의 넓이를 비교해 보세요.

수첩, 색종이, 스케치북으로 숨겨 주세요.

수첩 이 가장 좁습니다.

            이(가) 가장 넓습니다.

접시, 동전, 냄비로 숨겨 주세요.

    이(가) 가장 좁습니다.

    이(가) 가장 넓습니다.

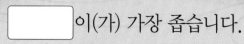

고양이가 개를 피해 병 뒤에 숨으려고 해요.
주스 붙임딱지를 붙여 고양이를 숨겨 보고, 병에 들어 있는 주스의 양을 비교해 보세요.

가　나　다

　　병에 담긴 양이 가장 많습니다.

　　병에 담긴 양이 가장 적습니다.

가　나　다

　　병에 담긴 양이 가장 적습니다.

　　병에 담긴 양이 가장 많습니다.

집중! 드릴 문제

[1~4] 더 좁은 것에 △표 하세요.

1

(   )   (   )

2

(   )   (   )

3

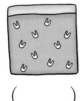

(   )   (   )

4

(   )   (   )

[5~8] 가장 넓은 것에 ◯표 하세요.

5

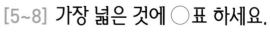

(   )   (   )   (   )

6

(   )   (   )   (   )

7

(   )   (   )   (   )

8

(   )   (   )   (   )

[9~12] 담을 수 있는 양이 더 많은 것에◯표 하세요.

[13~16] 담을 수 있는 양이 가장 적은 것에 △표 하세요.

9

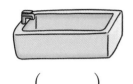

(   )   (   )

13

(   ) (   ) (   )

10

(   )   (   )

14

(   ) (   ) (   )

11

(   )   (   )

15

(   ) (   ) (   )

12

(   )   (   )

16

(   ) (   ) (   )

4 단원

1 알맞은 것끼리 이어 보세요.

· 더 좁다

· 더 넓다

2 그림을 보고 알맞은 말에 ◯표 하세요.

(1) 컵은 페트병보다 더 (많이 , 적게) 담을 수 있습니다.
(2) 양동이가 가장 (많이 , 적게) 담을 수 있습니다.

3 더 넓은 것에 ◯표 하세요.

 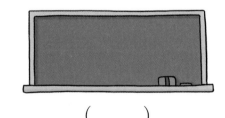

(   )   (   )

4 더 좁은 것에 △표 하세요.

(1)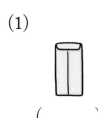

(   )   (   )

(2)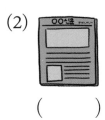

(   )   (   )

5 담을 수 있는 양이 더 적은 것에 △표 하세요.

(1)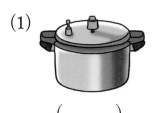

(   )   (   )

(2)

(   )   (   )

6 넓은 것부터 순서대로 1, 2, 3을 써 보세요.

(   )   (   )   (   )

7 가장 넓은 것에 ○표, 가장 좁은 것에 △표 하세요.

(   )   (   )   (   )

8 수아는 그림을 액자에 넣으려고 합니다. 어느 액자를 골라야 하는지 ◯표 하세요.

(   )   (   )

9 담을 수 있는 양이 가장 많은 것에 ◯표, 가장 적은 것에 △표 하세요.

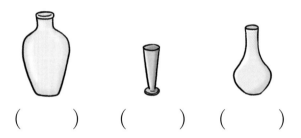

(   )   (   )   (   )

10 컵에 담긴 주스의 양이 가장 적은 것에 △표 하세요.

(   )   (   )   (   )

11 물이 가장 많이 담긴 것에 ◯표 하세요.

(   )   (   )   (   )

12 담을 수 있는 양이 보기 의 컵보다 더 많은 것을 모두 찾아 기호를 써 보세요.

(   )

13 왼쪽 그림보다 좁은 △ 모양을 그려 넣으세요.

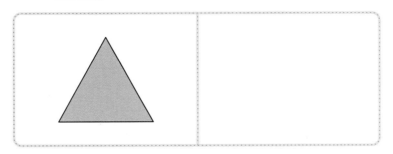

14 ㉠, ㉡, ㉢ 중에서 색칠한 모양이 가장 좁은 것을 찾아 기호를 쓰세요.

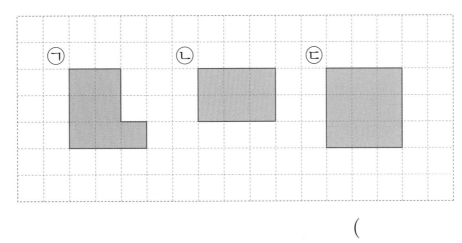

(   )

1 더 긴 것에 ◯표 하세요.

(1)
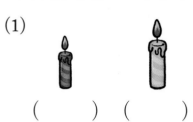
(　　　) (　　　　)

(2)
(　　　)

(　　　)

2 담을 수 있는 양이 더 적은 것에 △표 하세요.

(1)
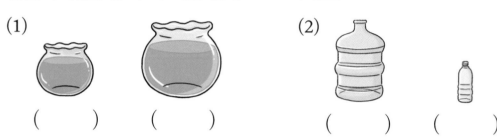
(　　　) (　　　)

(2)
(　　　) (　　　)

3 가장 높은 것에 ◯표 하세요.

(　　　) (　　　) (　　　)

4 펭귄보다 더 가벼운 것에 △표 하세요.

(　　　) (　　　) (　　　)

5 그림을 보고 □ 안에 알맞은 말을 써넣으세요.

는 □ 보다
더 무겁습니다.

6 키가 가장 큰 사람은 누구인지 써 보세요.

(   )

7 물이 많이 담긴 것부터 순서대로 1, 2, 3을 써 보세요.

(   )   (   )   (   )

8 집에서 병원까지 가는 길이 다음과 같을 때 어느 길이 가장 멀까요?

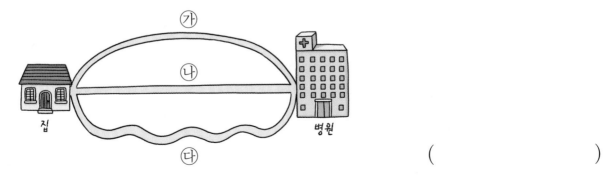

(   )

9 ㉠과 ㉡ 중에서 어느 것이 더 넓을까요?

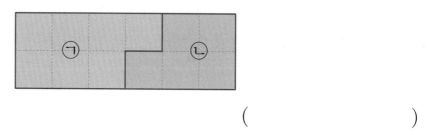

(   )

10 수를 순서대로 이어 보고, 더 넓은 쪽에 ◯표 하세요.

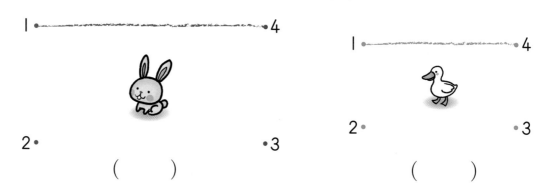

(   )   (   )

11 똑같은 크기의 색종이를 선을 따라 모두 자르려고 합니다. 가장 넓은 조각이 생기는 것을 찾아 기호를 써 보세요.

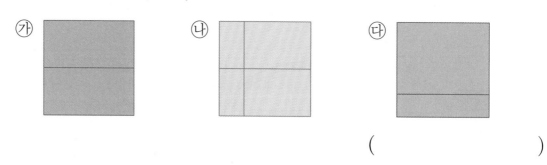

(   )

5 50까지의 수

개념 ① 9 다음 수 알아보기

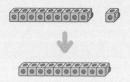

10	
십	열

9보다 1만큼 더 큰 수를
10이라고 합니다.

• 10 모으기와 가르기

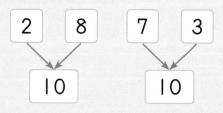

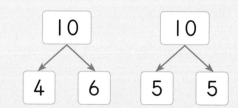

개념 ② 십몇 알아보기

→ 12는 10개씩 묶음 1개와
낱개 2개입니다.

11	12	13	14	15
십일, 열하나	십이, 열둘	십삼, 열셋	십사, 열넷	십오, 열다섯

16	17	18	19	
십육, 열여섯	십칠, 열일곱	십팔, 열여덟	십구, 열아홉	

개념 ③ 19까지의 수 모으기와 가르기

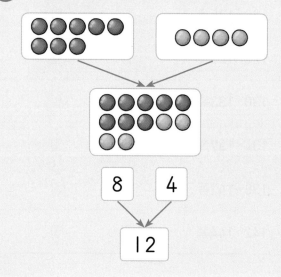

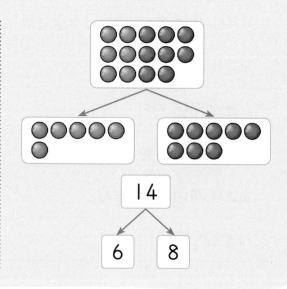

1 빵의 수만큼 붙임딱지를 붙여 보세요.

준비물 붙임딱지

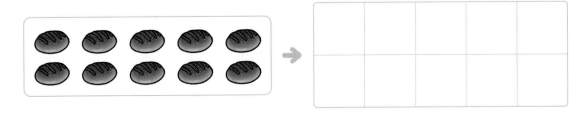

2 그림을 보고 ☐ 안에 알맞은 수나 말을 써넣으세요.

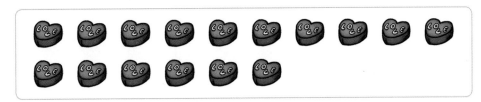

(1) I0개씩 묶음 I개와 낱개 6개는 ☐ 입니다.

(2) ☐ 은 십육 또는 ☐ 이라고 읽습니다.

5

단원

3 모으기와 가르기를 해 보세요.

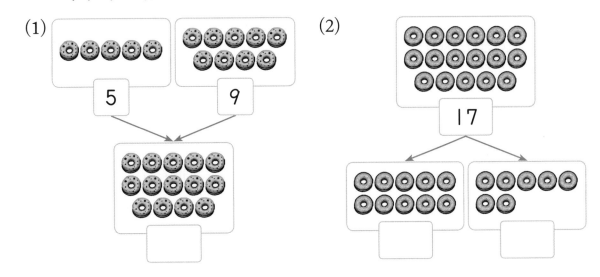

개념 **4** |0개씩 묶어 세어 보기

| | 20 | 이십 |
| | | 스물 |

→ |0개씩 묶음 2개

| | 30 | 삼십 |
| | | 서른 |

| | 40 | 사십 |
| | | 마흔 |

| | 50 | 오십 |
| | | 쉰 |

| |0개씩 묶음 | ▲ |
| 낱개 | 0 |

→ ▲0

10개씩 묶음
▲개!

개념 **5** 50까지의 수 세어 보기

| | 24 | 이십사 |
| | | 스물넷 |

→ |0개씩 묶음 2개와 낱개 4개

| | 36 | 삼십육 |
| | | 서른여섯 |

| |0개씩 묶음 | ▲ |
| 낱개 | ● |

→ ▲●

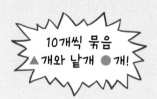

10개씩 묶음
▲개와 낱개 ●개!

🎮 개념 ○Ｘ

🎓 수를 바르게 읽은 것에 ○표, 잘못 읽은 것에 ×표 하세요.

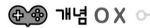

| 44 |

 사십넷

 마흔넷

 마흔사

( )　　　　( )　　　　( )

1 그림을 보고 □ 안에 알맞은 수를 써넣으세요.

(1)

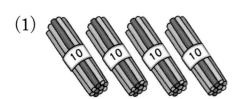

10개씩 묶음이 4개이므로
□ 입니다.

(2)

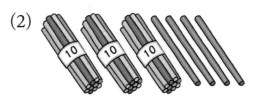

10개씩 묶음 3개와 낱개 4개
이므로 □ 입니다.

2 10개씩 묶음과 낱개로 구슬의 수를 세어 보세요.

(1)

10개씩 묶음	낱개

➡ □

(2)

10개씩 묶음	낱개

➡ □

3 빈 곳에 알맞은 수를 써넣으세요.

(1)

10개씩 묶음	2
낱개	0

➡ □

(2)

10개씩 묶음	3
낱개	9

➡ □

4 수를 두 가지 방법으로 읽어 보세요.

(1) 50 ➡ ( ), ( )

(2) 28 ➡ ( ), ( )

준비물 붙임딱지

닭이 달걀을 낳았어요. 달걀이 10개가 되게 둥지에 담으려고 해요.
달걀 붙임딱지를 붙이고 모으기를 해 보세요.

달걀 10개를 프라이팬 두 곳에 나누어 달걀프라이를 하려고 합니다.
프라이팬에 붙임딱지를 붙이고 가르기를 해 보세요.

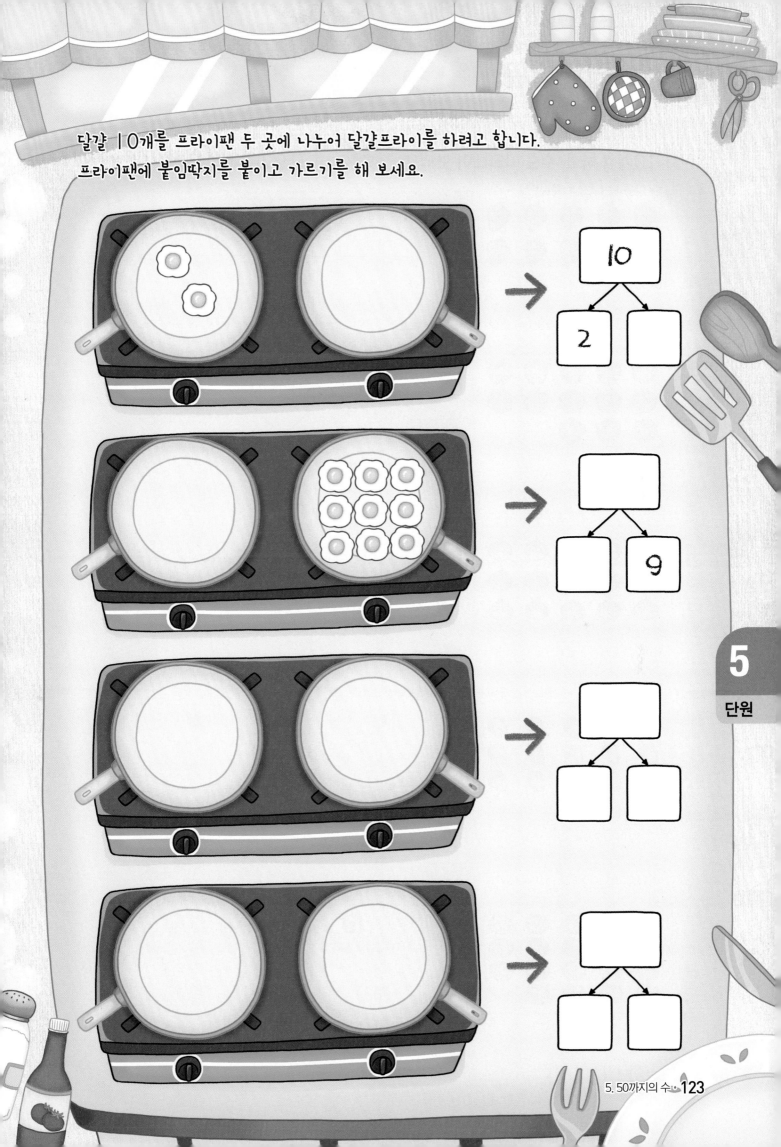

[1~5] 10개씩 묶고, 수로 나타내어 보세요.

[6~10] 모으기를 해 보세요.

1

6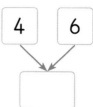

2

7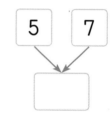

3

8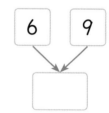

4

9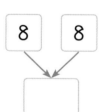

5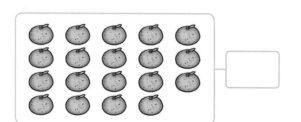

10

| 10 | | 7 |

[11~15] 가르기를 해 보세요.

11
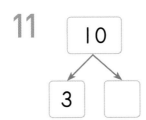

12
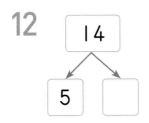

13
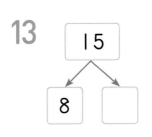

14
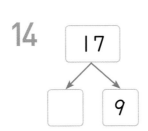

15
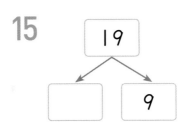

[16~19] 모형의 수를 세어 보세요.

16

10개씩 묶음	낱개

17

10개씩 묶음	낱개

18
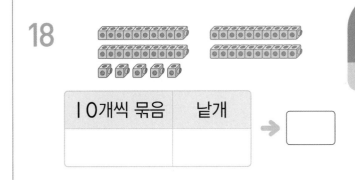

10개씩 묶음	낱개

19

10개씩 묶음	낱개

5

단원

1 10이 되도록 색칠해 보세요.

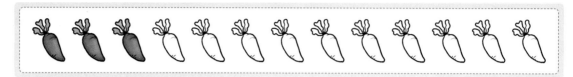

2 10마리인 것을 모두 찾아 ◯표 하세요.

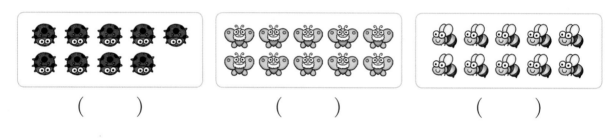

(   )   (   )   (   )

3 다음을 수로 써 보세요.

(1) | 십칠 |

(   )

(2) | 열아홉 |

(   )

4 빈 곳에 알맞은 수만큼 ◯를 그려 보세요.

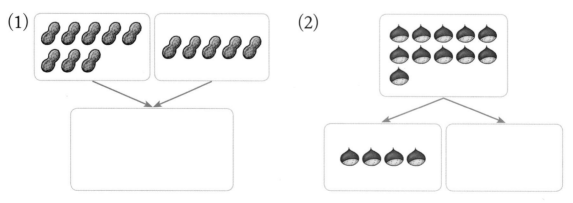

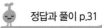

5 수를 세어 ☐ 안에 알맞은 수를 써넣으세요.

(1)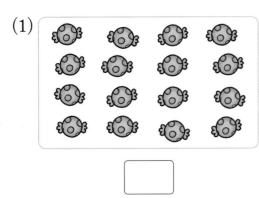

☐

(2)

☐

6 알맞게 이어 보세요.

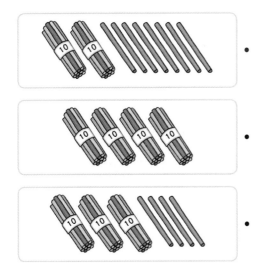

· · 34 · · 마흔

· · 28 · · 스물여덟

· · 40 · · 서른넷

7 빈 곳에 알맞은 수를 써넣으세요.

(1)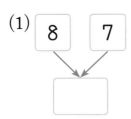

(2)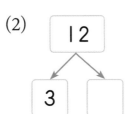

(3)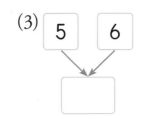

8 □ 안에 알맞은 수를 써넣으세요.

(1) 10개씩 묶음 3개는 □ 입니다.

(2) 10개씩 묶음 4개와 낱개 2개는 □ 입니다.

9 구슬의 수를 세어 쓰고 두 가지 방법으로 읽어 보세요.

쓰기 ( )

읽기 ( ), ( )

10 빈칸에 알맞은 수를 써넣으세요.

(1)
10개씩 묶음	낱개
2	6

→ □

(2)
10개씩 묶음	낱개
	7

→ 47

11 16칸을 두 가지 색으로 색칠하고 가르기를 해 보세요.

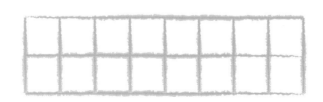

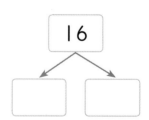

12 보기와 같이 수를 보고 □ 안에 알맞은 수를 써넣으세요.

보기

(20)
- 10개씩 묶음 2개는 20입니다.
- 구슬이 10개씩 2묶음 있으면 20개입니다.

(50)
- 10개씩 묶음 □개는 □입니다.
- 곶감이 10개씩 □묶음 있으면 □개입니다.

13 위와 아래의 두 수를 모아서 14가 되는 것끼리 이어 보세요.

| 10 | 6 | 7 | 9 |

| 5 | 7 | 4 | 8 |

14 나타내는 수가 다른 하나를 찾아 기호를 써 보세요.

㉠ 43 ㉡ 사십삼
㉢ 서른셋 ㉣ 10개씩 묶음 4개와 낱개 3개

(   )

개념 ⑥ 수의 순서 알아보기

1씩 작아집니다. → ← 1씩 커집니다.

1	2	3	4	5	6	7	8	9	10
11	12	13	14	15	16	17	18	19	20
21	22	23	24	25	26	27	28	29	30
31	32	33	34	35	36	37	38	39	40
41	42	43	44	45	46	47	48	49	50

10씩 작아집니다. (왼쪽) 10씩 커집니다. (오른쪽)

• 1만큼 더 큰 수와 1만큼 더 작은 수 알아보기

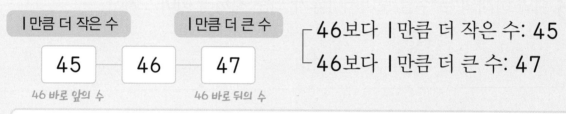

1만큼 더 작은 수		1만큼 더 큰 수
45	46	47
46 바로 앞의 수		46 바로 뒤의 수

┌ 46보다 1만큼 더 작은 수: 45
└ 46보다 1만큼 더 큰 수: 47

수를 순서대로 썼을 때 ┌ 바로 앞의 수는 1만큼 더 작은 수입니다.
　　　　　　　　　　 └ 바로 뒤의 수는 1만큼 더 큰 수입니다.

• 사이의 수 알아보기

	사이의 수	
25	26	27

→ 25와 27 사이의 수: 26

개념 Play

준비물 붙임딱지

🎓 책이 순서대로 꽂혀 있도록 붙임딱지를 붙여 보세요.

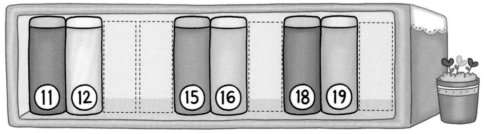

⑪ ⑫　　⑮ ⑯　　⑱ ⑲

1 순서에 맞게 빈칸에 알맞은 수를 써넣으세요.

21	22		24		26		28		30
31		33		35			38	39	
	42				46	47			

2 수를 보고 □ 안에 알맞은 수를 써넣으세요.

| 13 | 14 | 15 | 16 | 17 | 18 | 19 | 20 |

(1) 18보다 1만큼 더 큰 수는 ☐ 입니다.

(2) 18보다 1만큼 더 작은 수는 ☐ 입니다.

3 수를 보고 □ 안에 알맞은 수를 써넣으세요.

| 27 | 28 | 29 | 30 | 31 | 32 | 33 | 34 |

(1) 27과 29 사이의 수는 ☐ 입니다.

(2) 31과 34 사이의 수는 ☐ , ☐ 입니다.

4 빈 곳에 알맞은 수를 써넣으세요.

(1)

(2)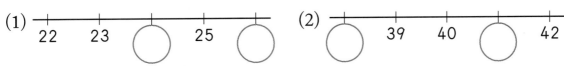

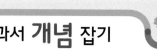

개념 7 수의 크기 비교하기

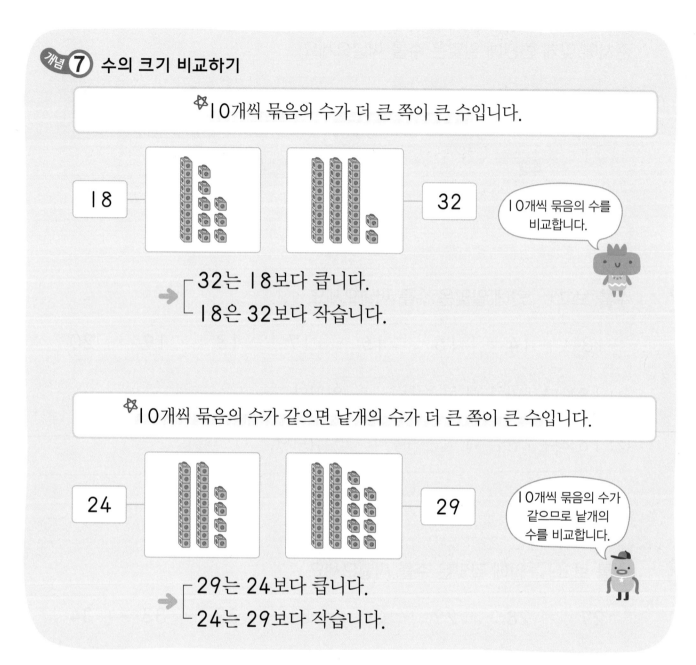

★10개씩 묶음의 수가 더 큰 쪽이 큰 수입니다.

18 ─ 32

10개씩 묶음의 수를 비교합니다.

→ 32는 18보다 큽니다.
　18은 32보다 작습니다.

★10개씩 묶음의 수가 같으면 낱개의 수가 더 큰 쪽이 큰 수입니다.

24 ─ 29

10개씩 묶음의 수가 같으므로 낱개의 수를 비교합니다.

→ 29는 24보다 큽니다.
　24는 29보다 작습니다.

🎮 **개념 O X**

🎓 다음을 보고 바르게 말한 사람은 ○표, 잘못 말한 사람은 ×표 하세요.

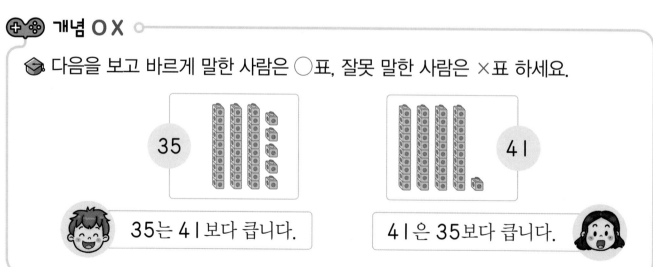

35

41

35는 41보다 큽니다.

41은 35보다 큽니다.

1 그림을 보고 알맞은 말에 ◯표 하세요.

(1) 31은 27보다 (큽니다 , 작습니다).

(2) 27은 31보다 (큽니다 , 작습니다).

2 수만큼 색칠하고, 두 수의 크기를 비교해 보세요.

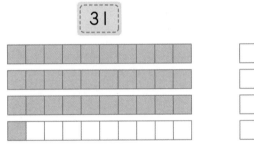 

(1) ☐ 은 31보다 큽니다.

(2) 31은 ☐ 보다 작습니다.

3 알맞은 말에 ◯표 하세요.

(1) 11은 19보다 (큽니다 , 작습니다).

(2) 50은 35보다 (큽니다 , 작습니다).

4 더 큰 수에 ◯표 하세요.

(1)
| 40 | 28 |

(2)
| 33 | 37 |

교과서 개념 play 물고기 낚시하기

준비물 붙임딱지

순서에 맞게 그물의 빈칸에 알맞은 물고기 붙임딱지를 붙여 물고기를 모두 잡아 보세요. 그리고 그물 밖의 물고기에 적혀 있는 수보다 작은 수는 왼쪽에, 큰 수는 오른쪽에 물고기 붙임딱지를 붙여 보세요.

1	2	3	4	예 오
11	12		14	15
	22			25
		33	34	
41	42			45

작은 수 ← 예 11 — 21 — 예 22 → 큰 수

( ) — 25 — ( )

( ) — 33 — ( )

6   8   9

17   18   20

29

36   37

47   48

◯ ─ 17 ─ ◯

◯ ─ 47 ─ ◯

◯ ─ 42 ─ ◯

[1~5] 빈 곳에 알맞은 수를 써넣으세요.

1 | 14 | | | | 16 |

2 | 39 | | | | 41 |

3 | | | 26 | 27 | | |

4 | 30 | | | | 32 | | |

5 | 47 | | | | | | 50 |

[6~10] 빈 곳에 알맞은 수를 써넣으세요.

6 1만큼 더 작은 수 ◯ ── 24 ── 1만큼 더 큰 수 ◯

7 1만큼 더 작은 수 ◯ ── 46 ── 1만큼 더 큰 수 ◯

8 1만큼 더 작은 수 ◯ ── 20 ── 1만큼 더 큰 수 ◯

9 1만큼 더 작은 수 ◯ ── 42 ── 1만큼 더 큰 수 ◯

10 1만큼 더 작은 수 ◯ ── 39 ── 1만큼 더 큰 수 ◯

[11~15] 더 큰 수에 ◯표 하세요.

11
| 30 | 10 |

12
| 23 | 32 |

13
| 41 | 39 |

14
| 36 | 33 |

15
| 40 | 44 |

[16~20] 더 작은 수에 △표 하세요.

16
| 25 | 50 |

17
| 34 | 41 |

18
| 20 | 18 |

19
| 26 | 29 |

20
| 38 | 31 |

5

단원

교과서 개념 확인 문제

1 빈 곳에 알맞은 수를 써넣으세요.

(1) [18]—[ ]—[20]

(2) [33]—[ ]—[35]

2 빈 곳에 알맞은 수를 써넣으세요.

(1)

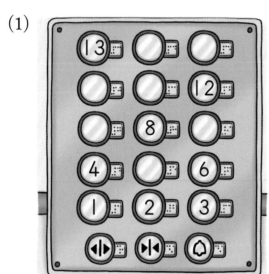

(2)

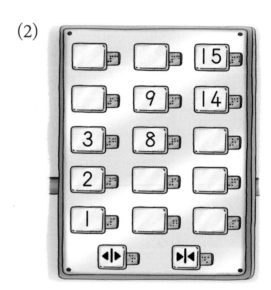

3 그림을 보고 두 수의 크기를 비교하여 ☐ 안에 알맞은 말을 써넣으세요.

15

23

┌ 15는 23보다 [   ].

└ 23은 15보다 [   ].

4 순서에 맞게 빈 곳에 알맞은 수를 써넣으세요.

5 빈 곳에 알맞은 수를 써넣으세요.

(1)

(2)
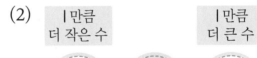

6 ☐ 안에 알맞은 수를 써넣으세요.

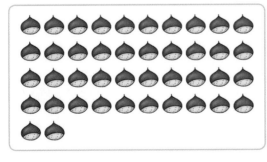
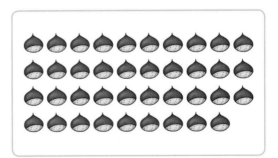

는 보다 큽니다.

는 보다 작습니다.

7 더 큰 수에 ○표 하세요.

(1)
28	19

(2)
50	46

(3)
41	43

(4)
39	34

8 주어진 수를 보고 작은 수부터 순서대로 써넣으세요.

| 21 | 19 | 20 | 24 | 22 | 23 |

9 그림을 보고 알맞은 것에 ○표 하세요.

┌ 27은 17보다 (큽니다 , 작습니다).
└ 27은 30보다 (큽니다 , 작습니다).
➡ 가장 큰 수는 (27 , 17 , 30)입니다.

10 순서에 맞게 ○ 안에 알맞은 수를 써넣으세요.

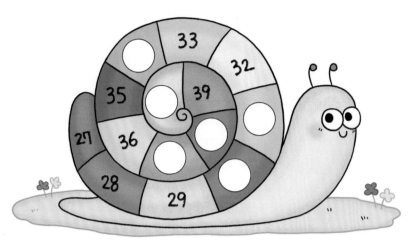

11 큰 수부터 순서대로 써 보세요.

| 29 | 45 | 22 | 38 | 11 |

( )

12 딱지를 유진이는 28장, 진주는 30장 모았습니다. 딱지를 더 많이 모은 사람은 누구일까요?

( )

13 25와 31 사이의 수를 모두 써 보세요.

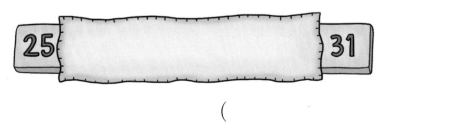

( )

1 수를 세어 □ 안에 알맞은 수를 써넣으세요.

(1)

□

(2)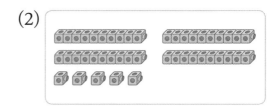

□

2 다음이 나타내는 수를 빈 곳에 써넣고, 두 가지 방법으로 읽어 보세요.

9보다 I만큼 더 큰 수 — □

( ), ( )

3 빈칸에 알맞은 수를 써넣으세요.

4 가르기를 하여 빈 곳에 알맞은 수를 써넣으세요.

(1)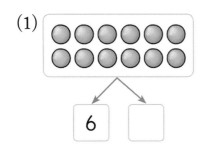

6 □

(2)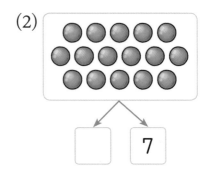

□ 7

5 알맞게 이어 보세요.

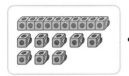

·   · 18 ·   · 열여섯

·   · 16 ·   · 열셋

·   · 13 ·   · 열여덟

6 빈칸에 알맞은 수를 써넣으세요.

수	10개씩 묶음	낱개
26	2	
34		4
	4	2

7 빈칸에 알맞은 수를 써넣으세요.

(1)

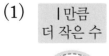

1만큼
더 작은 수   1만큼
더 큰 수

19

(2)

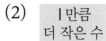

1만큼
더 작은 수   1만큼
더 큰 수

40

8 모으기를 하여 16이 되는 것끼리 이어 보세요.

9 가장 큰 수에 ◯표, 가장 작은 수에 △표 하세요.

44	41	47

10 버스에서 유정이의 자리에 ◯표 하세요.

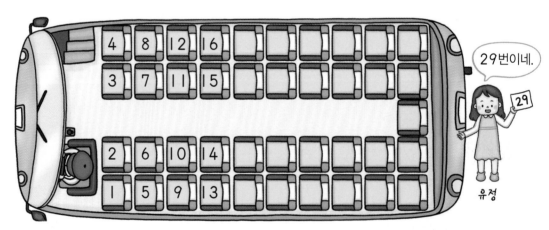

11 어머니께서는 과일 가게에서 귤을 쉰 개 샀습니다. 귤을 10개씩 봉투에 담으려고 합니다. 봉투는 모두 몇 개 있어야 할까요?

(   )

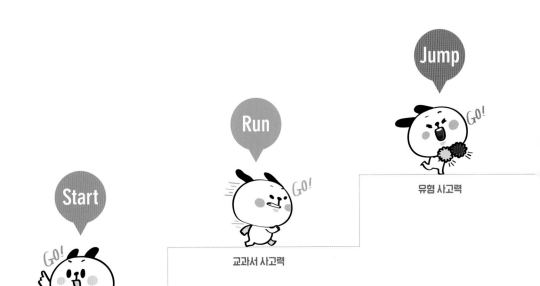

Start
교과서 개념

Run
교과서 사고력

Jump
유형 사고력

#난이도별
#천재되는_수학교재

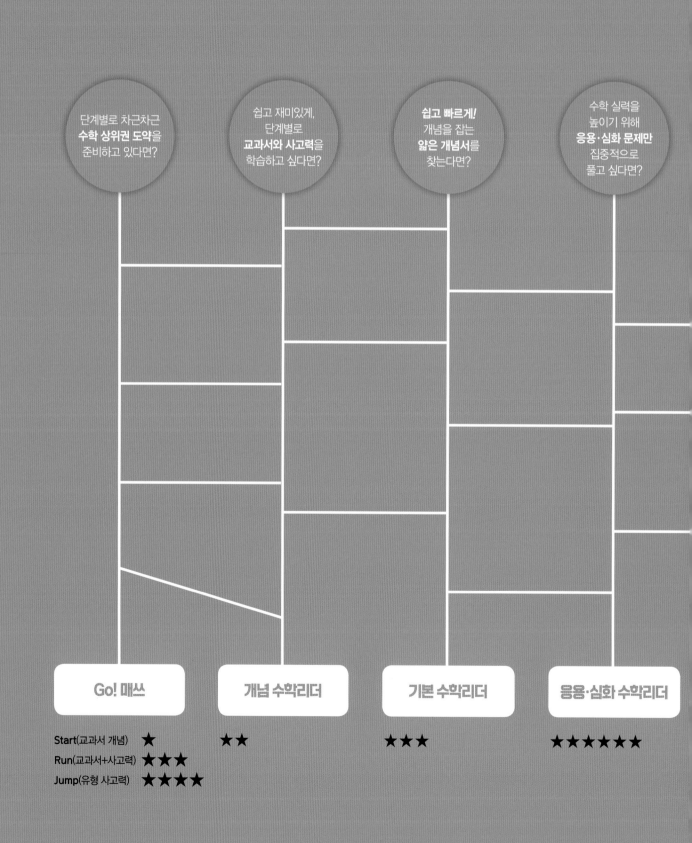

단계별로 차근차근
수학 상위권 도약을
준비하고 있다면?

쉽고 재미있게,
단계별로
교과서와 사고력을
학습하고 싶다면?

쉽고 빠르게!
개념을 잡는
얇은 개념서를
찾는다면?

수학 실력을
높이기 위해
응용·심화 문제만
집중적으로
풀고 싶다면?

Go! 매쓰

개념 수학리더

기본 수학리더

응용·심화 수학리더

Start(교과서 개념) ★
Run(교과서+사고력) ★★★
Jump(유형 사고력) ★★★★

★★

★★★

★★★★★

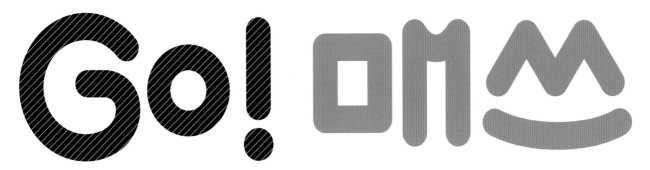

교과서 GO! 사고력 GO!

GO! 매쓰

Start
교과서 개념

정답과 풀이   수학 1-1

정답과 해설
포인트 2가지

▶ 선생님이나 학부모가 쉽게 문제와 풀이를 한눈에 볼 수 있어요.

▶ 자세한 활동 수업에 대한 팁이 가득하게 들어 있어요.

교과서 개념 잡기

정답과 풀이 p.1

개념① 5까지의 수 알아보기

→ 수를 읽는 방법은 두 가지입니다.

			읽기	쓰기
비행기	•	1	하나, 일	①1
자동차	••	2	둘, 이	①2
자동차	•••	3	셋, 삼	①3
오토바이	••••	4	넷, 사	①4②
자전거	•••••	5	다섯, 오	①5②

물건의 수를 셀 때에는 "하나, 둘, 셋, 넷, 다섯" 또는 "일, 이, 삼, 사, 오"와 같이 셉니다.

상황에 따라 알맞은 방법으로 읽어요.

개념 Play

붙임딱지

물건의 수만큼 ● 붙임딱지를 붙여 보세요.

6 · Start 1-1

1 그림의 수만큼 ○를 그리고, ○ 안에 알맞은 수를 써넣으세요.

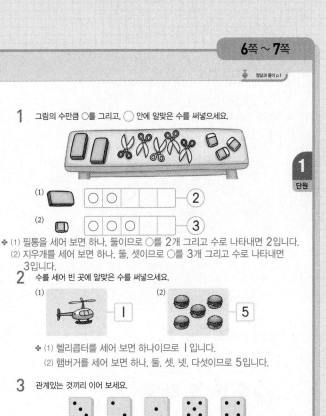

(1) [필통] ○ ○ □ □ ── 2

(2) [지우개] ○ ○ ○ □ ── 3

✤ (1) 필통을 세어 보면 하나, 둘이므로 ○를 2개 그리고 수로 나타내면 2입니다.
  (2) 지우개를 세어 보면 하나, 둘, 셋이므로 ○를 3개 그리고 수로 나타내면 3입니다.

2 수를 세어 빈 곳에 알맞은 수를 써넣으세요.

(1) [헬리콥터] ── 1   (2) [햄버거] ── 5

✤ (1) 헬리콥터를 세어 보면 하나이므로 1입니다.
  (2) 햄버거를 세어 보면 하나, 둘, 셋, 넷, 다섯이므로 5입니다.

3 관계있는 것끼리 이어 보세요.

[주사위 그림들]

삼   오   일   사   이

✤ 점의 수를 세어 보고 수로 나타낸 다음 수를 읽어 봅니다.

1. 9까지의 수 · 7

단원 1

교과서 개념 잡기

정답과 풀이 p.1

개념② 9까지의 수 알아보기

			읽기	쓰기
주사위	••••••	6	여섯, 육	①6
지우개	•••••••	7	일곱, 칠	①7②
나무조각	••••••••	8	여덟, 팔	①8①
연필	•••••••••	9	아홉, 구	①9②
연필	••••••••••	10	열, 십	①④10②

9보다 1만큼 더 큰 수는 10입니다.
10은 십 또는 열이라고 읽습니다.

9 다음의 수 10은 5단원에서 더 배울 수 있어요.

개념 Play

붙임딱지

물건의 수만큼 ● 붙임딱지를 붙여 보세요.

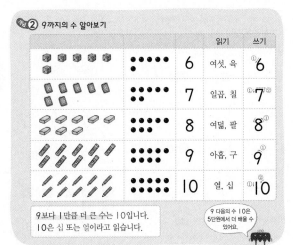

8 · Start 1-1

1 수를 세어 빈 곳에 알맞은 수를 써넣으세요.

(1) [나비] 6   (2) [거미] 9

✤ (1) 나비를 세어 보면 하나, 둘, 셋, 넷, 다섯, 여섯이므로 6입니다.
  (2) 거미를 세어 보면 하나, 둘, 셋, 넷, 다섯, 여섯, 일곱, 여덟, 아홉 이므로 9입니다.

2 수를 세어 알맞게 이어 보세요.

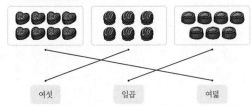

여섯   일곱   여덟

✤ 왼쪽 초콜릿을 세어 보면 하나, 둘, 셋, 넷, 다섯, 여섯, 일곱, 여덟입니다.
  가운데 초콜릿을 세어 보면 하나, 둘, 셋, 넷, 다섯, 여섯입니다.
  오른쪽 초콜릿을 세어 보면 하나, 둘, 셋, 넷, 다섯, 여섯, 일곱입니다.

3 수가 7인 것을 찾아 ○표 하세요.

( )   ( )   (○)

✤ 딸기를 세어 보면 여덟이므로 8입니다.
  바나나를 세어 보면 여섯이므로 6입니다.
  밤을 세어 보면 일곱이므로 7입니다.

1. 9까지의 수 · 9

단원 1

교과서 개념 play 농장에 있는 동물 세기

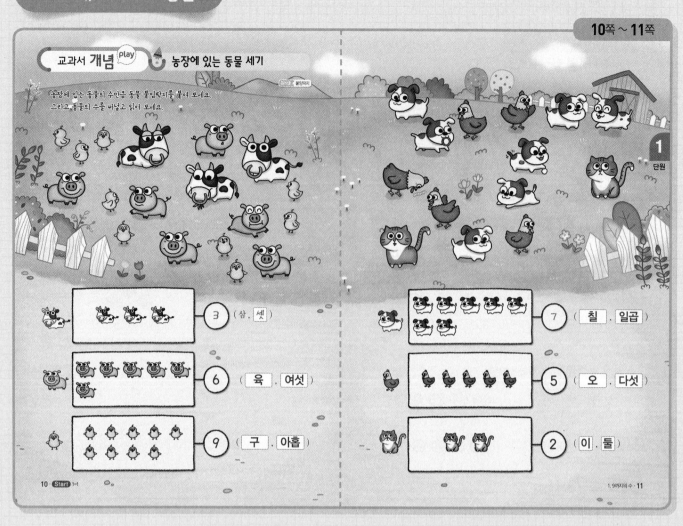

1 단원

집중! 드릴 문제

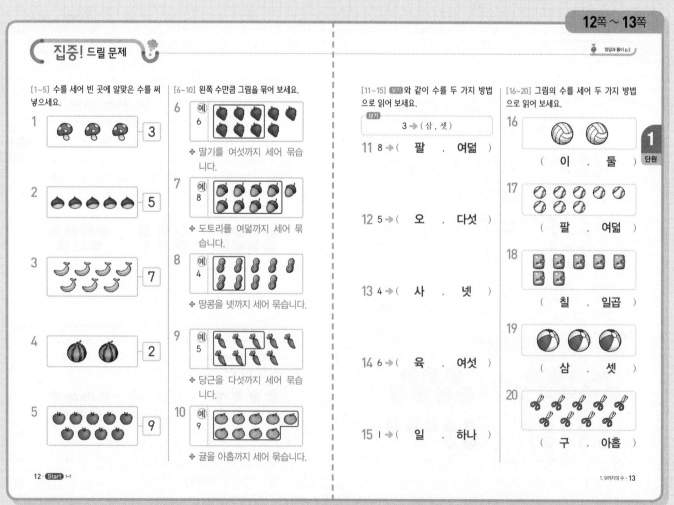

1 단원

교과서 개념 확인 문제

1 그림의 수를 세어 빈 곳에 써넣으세요.

(1)  6

(2)  9

✿ (1) 땅콩을 세어 보면 여섯이므로 6입니다.
  (2) 사탕을 세어 보면 아홉이므로 9입니다.

2 수를 세어 알맞게 이어 보세요.

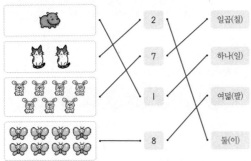

✿ 하마를 세어 보면 하나입니다. 고양이를 세어 보면 하나, 둘입니다.
  토끼를 세어 보면 하나, 둘, 셋, 넷, 다섯, 여섯, 일곱입니다.
  나비를 세어 보면 하나, 둘, 셋, 넷, 다섯, 여섯, 일곱, 여덟입니다.

3 다영이가 말하는 수만큼 색칠해 보세요.

 빵이 5개 있어요.
다영

✿ 빵이 5개이므로 하나, 둘, 셋, 넷, 다섯을 세어 보면서 색칠합니다.

4 아이들의 수만큼 ○를 그리고, ○ 안에 알맞은 수를 써넣으세요.

○○○○ 4

✿ 아이들의 수를 세어 보면 하나, 둘, 셋, 넷이므로 ○를 4개 그리
  고 4라고 씁니다.

5 연필의 수를 세어 두 가지 방법으로 읽어 보세요.

(오 , 다섯)

✿ 연필을 세어 보면 하나, 둘, 셋, 넷, 다섯이므로 5입니다.
  5는 오 또는 다섯이라고 읽습니다.

6 주어진 수만큼 색칠해 보세요.

8 예

✿ 주어진 수는 8이므로 하나, 둘, 셋……여덟까지 세면서 색칠합
  니다.

교과서 개념 확인 문제

7 아이스크림의 수를 세어 보고 바르게 읽은 것에 ○표 하세요.

일곱　여섯　(아홉)　여덟　다섯

✿ 아이스크림을 세어 보면 9개입니다.
  9는 구 또는 아홉이라고 읽습니다.

8 노란색 자동차는 몇 대일까요?

(5대)

✿ 노란색 자동차를 세어 보면 하나, 둘, 셋, 넷, 다섯이므로 5대입
  니다.

9 다음 중 4와 관계있는 것을 모두 찾아 기호를 써 보세요.

 ㉠ 다섯　㉡ ●●●●　㉢ 넷　㉣ 삼

(㉡, ㉢)

✿ ㉠ 다섯-5 ㉡ ●●●●-4 ㉢ 넷-4 ㉣ 삼-3
  ➡ 관계있는 것은 ㉡, ㉢입니다.

10 나머지 셋과 다른 하나를 찾아 ×표 하세요.

구　9　~~일곱~~　아홉

✿ 9는 구 또는 아홉이라고 읽습니다.
  따라서 나머지 셋과 다른 하나는 일곱입니다.

11 그림에 맞게 수를 바르게 고쳐 써 보세요.

케이크에 초가 ~~5~~개 꽂혀 있습니다. ➡ 3

✿ 케이크에 꽂힌 초는 3개입니다.

12 그림을 보고 바르게 설명한 것을 찾아 기호를 써 보세요.

 ㉠ 어항에 금붕어 2마리가 있습니다.
㉡ 어항에 금붕어 세 마리가 있습니다.
㉢ 금붕어의 수는 4입니다.

(㉡)

✿ 금붕어를 세어 보면 하나, 둘, 셋이므로 3마리가 있습니다.
  3마리는 세 마리로 읽습니다.

13 그림의 수가 7인 것에 ○표 하세요.

( )　( )　(○)

✿ 그림의 수를 세어 보면 나비는 8마리, 꽃은 6송이, 벌은 7마리
  입니다.

교과서 개념 잡기

정답과 풀이 p.4

개념 ③ 몇째인지 알아보기

첫째 둘째 셋째 넷째 다섯째 여섯째 일곱째 여덟째 아홉째

개념 ④ 수의 순서 알아보기

• 1부터 9까지의 수를 순서대로 쓰기

| 1 | 2 | 3 | 4 | 5 | 6 | 7 | 8 | 9 |

순서를 거꾸로 하여 쓰면 9가 처음에 오는 수가 돼요.

• 1부터 9까지의 수를 순서를 거꾸로 하여 쓰기

| 9 | 8 | 7 | 6 | 5 | 4 | 3 | 2 | 1 |

개념 Play

준비물 붙임딱지

순서에 알맞게 블록 붙임딱지를 붙여 보세요.

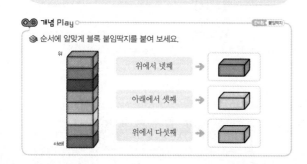

위에서 넷째 ➡
아래에서 셋째 ➡
위에서 다섯째 ➡

18 · Start 1-1

1 순서에 알맞게 이어 보세요.

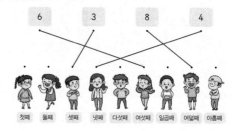

첫째 둘째 셋째 넷째 다섯째 여섯째 일곱째 여덟째 아홉째

2 왼쪽에서 넷째에 ◯표 하세요.

첫째 둘째 셋째 넷째 다섯째 여섯째 일곱째 여덟째 아홉째

3 1부터 9까지의 수를 순서대로 이어 보세요.

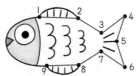

❖ 1부터 시작하여 9까지의 수를 순서대로 이으면 금붕어 모양이 나옵니다.

1. 9까지의 수 · 19

교과서 개념 잡기

정답과 풀이 p.4

개념 ⑤ 1만큼 더 큰 수와 1만큼 더 작은 수

• 1만큼 더 큰 수, 1만큼 더 작은 수 알아보기

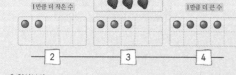

1만큼 더 작은 수   1만큼 더 큰 수

| 2 | | 3 | | 4 |

• 0 알아보기

| 0 | 1 | 2 |

아무것도 없는 것을 0이라 쓰고 영이라고 읽습니다.

개념 ⑥ 수의 크기 비교하기

5

3

나비는 벌보다 많습니다. ➡ 5는 3보다 큽니다.
벌은 나비보다 적습니다. ➡ 3은 5보다 작습니다.

개념 Play

준비물 붙임딱지

주어진 수만큼 접시에 빵을 붙임딱지로 붙여 보세요.

3   2   1   0

20 · Start 1-1

1 4보다 1만큼 더 큰 수를 나타낸 것에 ◯표 하세요.

( )   ( )   (◯)

❖ 4보다 1만큼 더 큰 수는 5이므로 햄버거가 5개 있는 것을 찾습니다.

2 수를 보고 □ 안에 알맞은 수를 써넣으세요.

| 1 | 2 | 3 | 4 | 5 | 6 | 7 | 8 | 9 |

(1) 7보다 1만큼 더 큰 수는 **8** 입니다.

(2) 6보다 1만큼 더 작은 수는 **5** 입니다.

❖ (1) 수를 순서대로 썼을 때 1만큼 더 큰 수는 바로 다음 수이므로 7보다 1만큼 더 큰 수는 8입니다.

3 그림을 보고 두 수의 크기를 비교해 보세요.

(1) ●는 🍑보다 (많습니다 , 적습니다).

(2) 7은 **5** 보다 (큽니다 , 작습니다).

❖ (1) 자두를 세어 보면 7개이고, 복숭아를 세어 보면 5개이므로 복숭아보다 많습니다.
(2) 자두는 복숭아보다 많으므로 7은 5보다 큽니다.

4 더 큰 수에 ◯표 하세요.

(1)

| 4 | ⑨ |

(2)

| ⑥ | 2 |

❖ (1) 수를 순서대로 썼을 때 9는 4보다 오른쪽에 있으므로 9는 4보다 큽니다.
(2) 수를 순서대로 썼을 때 6은 2보다 오른쪽에 있으므로 6은 2보다 큽니다.

1. 9까지의 수 · 21

교과서 **개념** play 🌱 기차 완성하기

구멍이 난 기차에 순서에 맞게 붙임딱지를 붙여 기차를 완성하고, 1만큼 더 작은 수와 1만큼
더 큰 수의 붙임딱지까지 붙이면 기차가 출발할 수 있어요.
기차가 출발할 수 있도록 기차를 완성해 보세요.

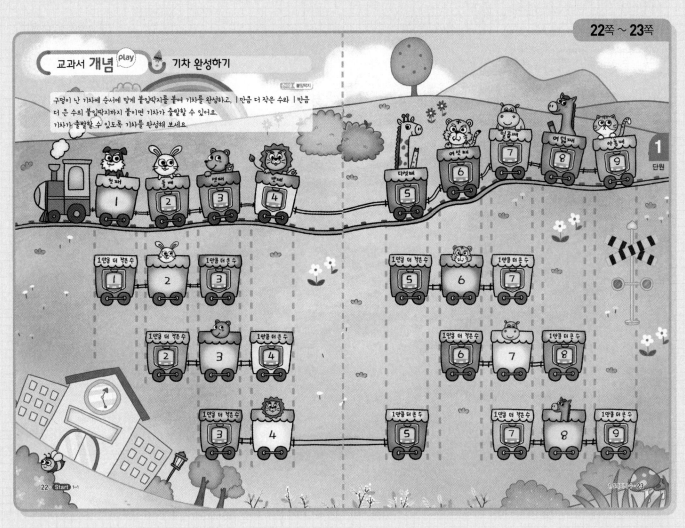

🌸 집중! 드릴 문제

정답과 풀이 p.5

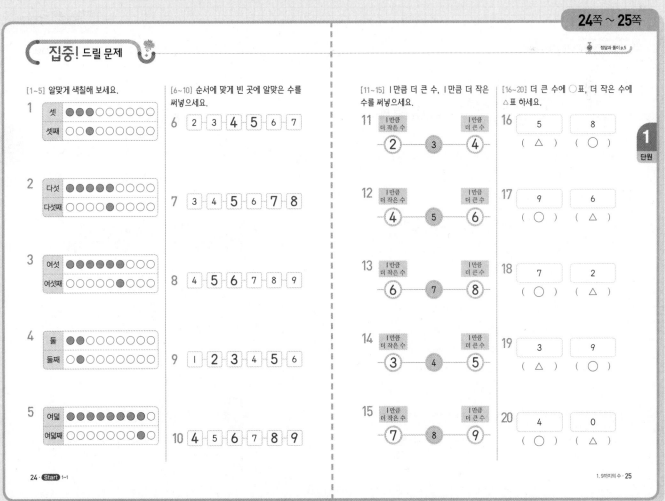

[1~5] 알맞게 색칠해 보세요.

1 셋 ●●●○○○○○○
셋째 ○○●○○○○○○

2 다섯 ●●●●●○○○○
다섯째 ○○○○●○○○○

3 여섯 ●●●●●●○○○
여섯째 ○○○○○●○○○

4 둘 ●●○○○○○○○
둘째 ●○○○○○○○○

5 여덟 ●●●●●●●●○
여덟째 ○○○○○○○●○

[6~10] 순서에 맞게 빈 곳에 알맞은 수를 써넣으세요.

6 2 3 **4** 5 6 7

7 3 4 **5** 6 **7** 8

8 4 **5** 6 7 8 9

9 1 **2** 3 4 5 6

10 4 5 **6** 7 **8** 9

[11~15] 1만큼 더 큰 수, 1만큼 더 작은
수를 써넣으세요.

11 1만큼 더 작은 수 → ② 3 1만큼 더 큰 수 ④

12 1만큼 더 작은 수 → ④ 5 1만큼 더 큰 수 ⑥

13 1만큼 더 작은 수 → ⑥ 7 1만큼 더 큰 수 ⑧

14 1만큼 더 작은 수 → ③ 4 1만큼 더 큰 수 ⑤

15 1만큼 더 작은 수 → ⑦ 8 1만큼 더 큰 수 ⑨

[16~20] 더 큰 수에 ○표, 더 작은 수에
△표 하세요.

16 5 8
(△) (○)

17 9 6
(○) (△)

18 7 2
(○) (△)

19 3 9
(△) (○)

20 4 0
(○) (△)

교과서 **개념 확인 문제**

정답과 풀이 p.6

1 순서에 알맞게 이어 보세요.

셋째   넷째   여섯째   여덟째

2 순서에 알맞게 수를 써넣으세요.

❖ 1 다음은 2, 4 다음은 5, 5 다음은 6, 8 다음은 9입니다.

3 바나나의 수를 세어 빈 곳에 알맞은 수를 써넣으세요.

❖ 접시에 아무것도 없는 것은 0입니다.

4 알맞게 색칠해 보세요.

❖ 여덟은 수를 나타내므로 8개에 색칠하고, 여덟째는 순서를 나타내므로 여덟째 그림 1개에만 색칠합니다.

5 오른쪽에서 다섯째에 있는 풍선에 ○표 하세요.

여덟째 일곱째 여섯째 다섯째 넷째 셋째 둘째 첫째

6 더 큰 수에 ○표 하세요.

❖ 수를 순서대로 썼을 때 오른쪽에 있는 수가 더 큰 수입니다.

7 사물함의 번호를 순서에 알맞게 빈 곳에 써넣으세요.

❖ 1부터 수를 순서대로 쓰면
1-2-3-4-5-6-7-8-9입니다.

1
단원

교과서 **개념 확인 문제**

정답과 풀이 p.6

8 5보다 1만큼 더 큰 수를 나타내는 것에 ○표 하세요.

(   )   (○)   (   )

❖ 5보다 1만큼 더 큰 수는 6이므로 6을 나타내는 그림에 ○표 합니다.

9 순서를 거꾸로 하여 빈 곳에 수를 써넣으세요.

❖ 순서를 거꾸로 하여 수를 쓸 때에는 하나씩 작아지도록 수를 씁니다.

10 1만큼 더 큰 수와 1만큼 더 작은 수를 써넣으세요.

❖ • 2보다 1만큼 더 큰 수는 2 바로 다음 수인 3이고, 1만큼 더 작은 수는 2 바로 앞의 수인 1입니다.
　• 8보다 1만큼 더 큰 수는 8 바로 다음 수인 9이고, 1만큼 더 작은 수는 8 바로 앞의 수인 7입니다.

11 준호는 사탕 3개, 영주는 사탕 4개를 가지고 있습니다. 누가 사탕을 더 적게 가지고 있을까요?

(**준호**   )

❖ 3은 4보다 작으므로 사탕을 더 적게 가지고 있는 사람은 준호입니다.

12 □ 안에 알맞은 수를 써넣으세요.

(1) 5보다 1만큼 더 큰 수는 **6** 입니다.

(2) 9보다 1만큼 더 작은 수는 **8** 입니다.

❖ (1) 5보다 1만큼 더 큰 수는 5 바로 다음 수인 6입니다.
　(2) 9보다 1만큼 더 작은 수는 9 바로 앞의 수인 8입니다.

13 그림을 보고 □ 안에 알맞은 수를 써넣으세요.

6 은 **5** 보다 큽니다.
5 는 **6** 보다 작습니다.

❖ 멜론은 5개, 귤은 6개이므로 귤은 멜론보다 많고, 멜론은 귤보다 적습니다.
➔ 6은 5보다 크고, 5는 6보다 작습니다.

14 왼쪽의 수보다 큰 수에 모두 ○표 하세요.

  2 ⑥ ⑦ 4 3 ⑧

❖ 주어진 수를 순서대로 쓰면 2, 3, 4, 5, 6, 7, 8입니다.
수를 순서대로 썼을 때 5보다 큰 수는 5 뒤의 수입니다.
따라서 5보다 큰 수는 6, 7, 8입니다.

1
단원

개념 확인평가
1. 9까지의 수

맞은 개수

정답과 풀이 p.7

1 그림을 보고 빈 곳에 알맞은 수를 써넣으세요.

(1)
5

(2)
8

❖ (1) 식빵을 세어 보면 하나, 둘, 셋, 넷, 다섯이므로 5입니다.
(2) 도넛을 세어 보면 하나, 둘, 셋, 넷, 다섯, 여섯, 일곱, 여덟이
므로 8입니다.

2 주어진 수만큼 ○를 그려 넣으세요.

6 — ○○○○○○

❖ 하나, 둘, 셋, 넷, 다섯, 여섯으로 수를 세면서 ○를 한 칸에 하나
씩 그립니다.

3 강아지의 수를 빈 곳에 써넣고, 두 가지 방법으로 읽어 보세요.

6

(육), (여섯)

❖ 강아지를 세어 보면 하나, 둘, 셋, 넷, 다섯, 여섯이므로 6입니
다. 6은 육 또는 여섯이라고 읽습니다.

4 순서에 알맞게 수를 써넣으세요.

3 4 5 6 7 8

❖ 3부터 수를 순서대로 써 보면 3, 4, 5, 6, 7, 8입니다.

5 왼쪽 그림의 수보다 1만큼 더 작은 수를 나타낸 것에 ○표 하세요.

 | | |
( ) (○) ( )

❖ 왼쪽의 별 그림은 하나, 둘, 셋, 넷, 다섯으로 5입니다. 5보다
1만큼 더 작은 수는 4이므로 별이 4개인 것에 ○표 합니다.

6 알맞게 색칠해 보세요.

| 일곱 | |
| 일곱째 | |

❖ 일곱은 수를 나타내므로 그림 7개에 색칠하고, 일곱째는 순서를
나타내므로 일곱째 그림 1개에만 색칠합니다.

7 수를 순서대로 이어 보세요.

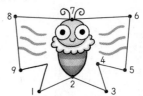

❖ 1부터 시작하여 9까지의 수를 순서대로 이어 보면 나비 모양이
나옵니다.

단원 1

개념 확인평가
1. 9까지의 수

정답과 풀이 p.7

8 왼쪽과 같이 빈칸에 알맞은 수를 써넣고, 더 큰 수에 ○표 하세요.

2 ③ ⑦ 5

❖ 하나씩 짝을 지어서 남는 쪽이 더 큰 쪽입니다.
따라서 아이스크림 7개와 5개를 하나씩 짝을 지어 보면 아이스
크림 7개가 있는 쪽에서 2개가 남으므로 7이 5보다 더 큰 수
입니다.

9 빈 곳에 알맞은 수를 써넣으세요.

1만큼 더 작은 수   1만큼 더 큰 수
2   3   4
5   6   7

❖ · 3보다 1만큼 더 작은 수는 3 바로 앞의 수인 2이고,
3보다 1만큼 더 큰 수는 3 바로 다음 수인 4입니다.
· 6보다 1만큼 더 작은 수는 6 바로 앞의 수인 5이고,
6보다 1만큼 더 큰 수는 6 바로 다음 수인 7입니다.

10 다음 수를 큰 수부터 순서대로 써 보세요.

3 9 0 5 1

(9, 5, 3, 1, 0)

❖ 0부터 9까지의 수를 큰 수부터 순서대로 쓰면 9, 8, 7, 6, 5,
4, 3, 2, 1, 0입니다. 따라서 주어진 수를 큰 수부터 순서대로
쓰면 9, 5, 3, 1, 0입니다.

[GO! 매쓰]
여기까지 1단원 내용입니다.
다음부터는 2단원 내용이
시작합니다.

교과서 **개념** 잡기

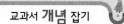

개념 ① 여러 가지 모양 찾아보기

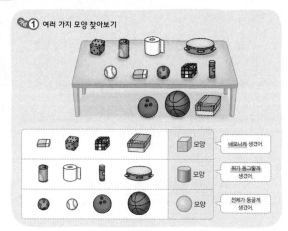

| | 네모나게 생겼어. |
| 위가 둥글게 생겼어. |
| 전체가 둥글게 생겼어. |

개념 Play

😀 친구들이 생각하는 물건은 어떤 모양인지 붙임딱지로 붙여 보세요.

34 · Start 1-1

정답과 풀이 p.8

1 보기 와 같은 모양에 ○표 하세요.

( ) ( ) (○)

❖ 휴지 상자는 ▨ 모양입니다. 휴지 상자와 같은 모양의 물건은 과자 상자입니다.

2 모양이 다른 하나에 ○표 하세요.

( ) ( ) (○) ( )

❖ 배구공, 테니스공, 축구공은 모두 ○ 모양이고, 페인트 통은 ⬭ 모양입니다.

3 모양이 같은 것끼리 이어 보세요.

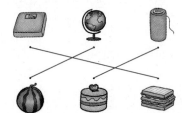

❖ 체중계와 샌드위치는 ▨ 모양, 지구본과 수박은 ○ 모양이고, 실패와 케이크는 ⬭ 모양입니다.

2. 여러 가지 모양 · 35

2 단원

교과서 **개념** 잡기

개념 ② 같은 모양끼리 모으기
· 교실에 있는 물건을 같은 모양끼리 모으기

▨ 모양	
⬭ 모양	
○ 모양	

같은 모양을 찾을 때에는 크기나 색깔은 생각하지 않아도 돼요!

개념 Play

😀 같은 모양끼리 모아서 붙임딱지를 붙여 보세요.

| ▨ 모양 | ⬭ 모양 | ○ 모양 |

36 · Start 1-1

정답과 풀이 p.8

1 어떤 모양끼리 모아 놓은 것인지 알맞은 모양에 ○표 하세요.

(○) ( ) ( )

❖ 선물 상자, 필통, 세제 상자, 여행용 가방은 모두 ▨ 모양이므로 ▨ 모양끼리 모아 놓은 것입니다.

2 같은 모양끼리 모은 사람은 누구인지 쓰세요.

경미 　지호

(**지호**)

❖ 풀, 두루마리 휴지는 ⬭ 모양이고, 피자 상자는 ▨ 모양입니다. 구슬, 지구본, 축구공은 모두 ○ 모양입니다. 따라서 같은 모양끼리 모은 사람은 지호입니다.

3 같은 모양끼리 모았습니다. 잘못 모은 것에 ○표 하세요.

( ) (○) ( )

❖ 북, 탬버린, 보온병은 ⬭ 모양이고, 사전, 입체 퍼즐, 우유 상자는 ▨ 모양입니다. 야구공, 수박은 ○ 모양이고, 지우개는 ▨ 모양 이므로 잘못 모았습니다.

2. 여러 가지 모양 · 37

2 단원

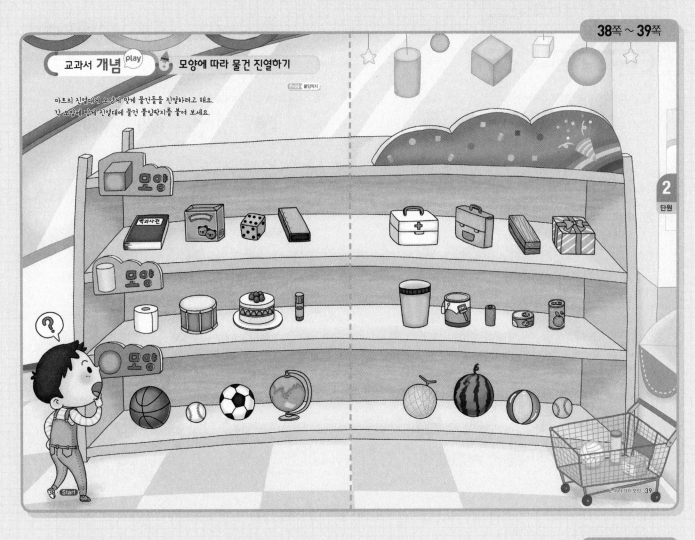

교과서 **개념 확인 문제**

정답과 풀이 p.10

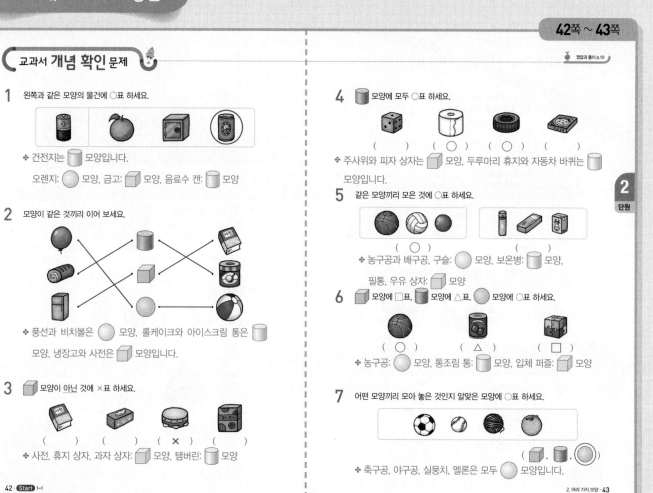

1 왼쪽과 같은 모양의 물건에 ○표 하세요.

❖ 건전지는 ▢ 모양입니다.

오렌지: ● 모양, 금고: ▨ 모양, 음료수 캔: ▢ 모양

2 모양이 같은 것끼리 이어 보세요.

❖ 풍선과 비치볼은 ● 모양, 롤케이크와 아이스크림 통은 ▢ 모양, 냉장고와 사전은 ▨ 모양입니다.

3 ▨ 모양이 아닌 것에 ×표 하세요.

( ) ( ) (×) ( )

❖ 사전, 휴지 상자, 과자 상자: ▨ 모양, 탬버린: ▢ 모양

4 ▢ 모양에 모두 ○표 하세요.

( ) (○) (○) ( )

❖ 주사위와 피자 상자는 ▨ 모양, 두루마리 휴지와 자동차 바퀴는 ▢ 모양입니다.

5 같은 모양끼리 모은 것에 ○표 하세요.

(○) ( )

❖ 농구공과 배구공, 구슬: ● 모양, 보온병: ▢ 모양, 필통, 우유 상자: ▨ 모양

6 ▨ 모양에 □표, ▢ 모양에 △표, ● 모양에 ○표 하세요.

(○) (△) (□)

❖ 농구공: ● 모양, 통조림 통: ▢ 모양, 입체 퍼즐: ▨ 모양

7 어떤 모양끼리 모아 놓은 것인지 알맞은 모양에 ○표 하세요.

(▨ , ▢ , ◉)

❖ 축구공, 야구공, 실뭉치, 멜론은 모두 ● 모양입니다.

교과서 **개념 확인 문제**

정답과 풀이 p.10

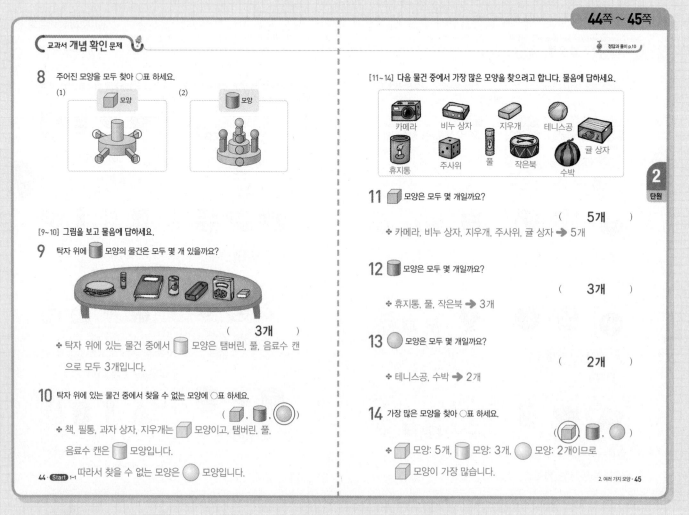

8 주어진 모양을 모두 찾아 ○표 하세요.

(1) ▨ 모양   (2) ▢ 모양

[9~10] 그림을 보고 물음에 답하세요.

9 탁자 위에 ▢ 모양의 물건은 모두 몇 개 있을까요?

(**3개**)

❖ 탁자 위에 있는 물건 중에서 ▢ 모양은 탬버린, 풀, 음료수 캔으로 모두 3개입니다.

10 탁자 위에 있는 물건 중에서 찾을 수 없는 모양에 ○표 하세요.

(▨ , ▢ , ◉)

❖ 책, 필통, 과자 상자, 지우개는 ▨ 모양이고, 탬버린, 풀, 음료수 캔은 ▢ 모양입니다.

따라서 찾을 수 없는 모양은 ● 모양입니다.

[11~14] 다음 물건 중에서 가장 많은 모양을 찾으려고 합니다. 물음에 답하세요.

카메라   비누 상자   지우개   테니스공   귤 상자
휴지통   주사위   풀   작은북   수박

11 ▨ 모양은 모두 몇 개일까요?

(**5개**)

❖ 카메라, 비누 상자, 지우개, 주사위, 귤 상자 ➡ 5개

12 ▢ 모양은 모두 몇 개일까요?

(**3개**)

❖ 휴지통, 풀, 작은북 ➡ 3개

13 ● 모양은 모두 몇 개일까요?

(**2개**)

❖ 테니스공, 수박 ➡ 2개

14 가장 많은 모양을 찾아 ○표 하세요.

(◉ , ▢ , ●)

❖ ▨ 모양: 5개, ▢ 모양: 3개, ● 모양: 2개이므로 ▨ 모양이 가장 많습니다.

교과서 **개념 잡기**

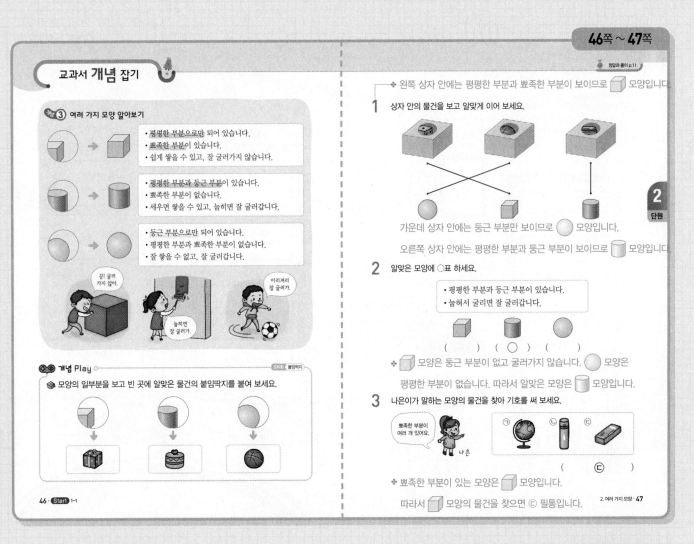

정답과 풀이 p.11

개념 ③ 여러 가지 모양 알아보기

- 평평한 부분으로만 되어 있습니다.
- 뾰족한 부분이 있습니다.
- 쉽게 쌓을 수 있고, 잘 굴러가지 않습니다.

- 평평한 부분과 둥근 부분이 있습니다.
- 뾰족한 부분이 없습니다.
- 세우면 쌓을 수 있고, 눕히면 잘 굴러갑니다.

- 둥근 부분으로만 되어 있습니다.
- 평평한 부분과 뾰족한 부분이 없습니다.
- 잘 쌓을 수 없고, 잘 굴러갑니다.

곳! 굴러 가지 않아.

이리저리 잘 굴러가.

눕히면 잘 굴러가.

😊 **개념 Play**

🔲 모양의 일부분을 보고 빈 곳에 알맞은 물건의 붙임딱지를 붙여 보세요.

46 · Start 1-1

✤ 왼쪽 상자 안에는 평평한 부분과 뾰족한 부분이 보이므로 🔲 모양입니다.

1 상자 안의 물건을 보고 알맞게 이어 보세요.

가운데 상자 안에는 둥근 부분만 보이므로 ⚪ 모양입니다.

오른쪽 상자 안에는 평평한 부분과 둥근 부분이 보이므로 🔵 모양입니다.

2 알맞은 모양에 ○표 하세요.

- 평평한 부분과 둥근 부분이 있습니다.
- 눕혀서 굴리면 잘 굴러갑니다.

( ) (○) ( )

✤ 🔲 모양은 둥근 부분이 없고 굴러가지 않습니다. ⚪ 모양은
평평한 부분이 없습니다. 따라서 알맞은 모양은 🔵 모양입니다.

3 나은이가 말하는 모양의 물건을 찾아 기호를 써 보세요.

뾰족한 부분이
여러 개 있어요.

나은

㉠ ㉡ ㉢

(㉢)

✤ 뾰족한 부분이 있는 모양은 🔲 모양입니다.
따라서 🔲 모양의 물건을 찾으면 ㉢ 필통입니다.

2. 여러 가지 모양 · 47

교과서 **개념 잡기**

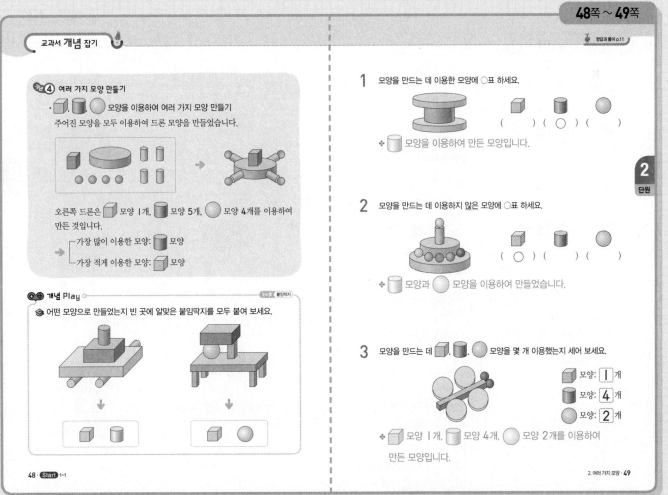

정답과 풀이 p.11

개념 ④ 여러 가지 모양 만들기

· 🔲, 🔵, ⚪ 모양을 이용하여 여러 가지 모양 만들기

주어진 모양을 모두 이용하여 드론 모양을 만들었습니다.

➡

오른쪽 드론은 🔲 모양 1개, 🔵 모양 5개, ⚪ 모양 4개를 이용하여
만든 것입니다.

➡ 가장 많이 이용한 모양: 🔵 모양
가장 적게 이용한 모양: 🔲 모양

😊 **개념 Play**

🔲 어떤 모양으로 만들었는지 빈 곳에 알맞은 붙임딱지를 모두 붙여 보세요.

⬇ ⬇

48 · Start 1-1

1 모양을 만드는 데 이용한 모양에 ○표 하세요.

( ) (○) ( )

✤ 🔵 모양을 이용하여 만든 모양입니다.

2 모양을 만드는 데 이용하지 않은 모양에 ○표 하세요.

(○) ( ) ( )

✤ 🔵 모양과 ⚪ 모양을 이용하여 만들었습니다.

3 모양을 만드는 데 🔲, 🔵, ⚪ 모양을 몇 개 이용했는지 세어 보세요.

🔲 모양: 1 개
🔵 모양: 4 개
⚪ 모양: 2 개

✤ 🔲 모양 1개, 🔵 모양 4개, ⚪ 모양 2개를 이용하여
만든 모양입니다.

2. 여러 가지 모양 · 49

정답과 풀이 · **11**

교과서 개념 play 문 완성하기

문 앞에 상자가 놓여 있어요. 상자 안에는 어떤 모양이 있는지 빈 곳에 붙임딱지를 붙여 보세요.
그리고 문 앞에 있는 모양의 성질에 맞게 붙임딱지를 문에 붙여 보세요.
자~ 이제 문을 완성하여 지저분한 방을 가려 볼까요?

집중! 드릴 문제

정답과 풀이 p.12

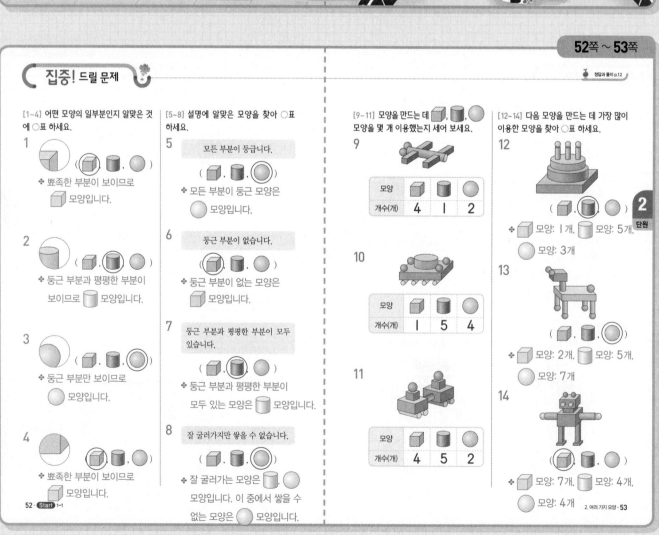

2. 여러 가지 모양 · 53

교과서 개념 확인 문제

1 상자 안의 모양을 보고 알맞은 모양을 찾아 ○표 하세요.

(◻ . ⬭ . ◯)

✿ 주어진 모양은 평평한 부분도 있고 뾰족한 부분도 있으므로 ◻ 모양입니다.

2 어느 방향으로 굴려도 잘 구르는 모양을 찾아 ○표 하세요.

( ) ( ) (◯)

✿ 어느 방향으로 굴려도 잘 구르는 모양은 모든 부분이 둥근 ◯ 모양입니다.

3 모양에 알맞은 물건을 모두 찾아 이어 보세요.

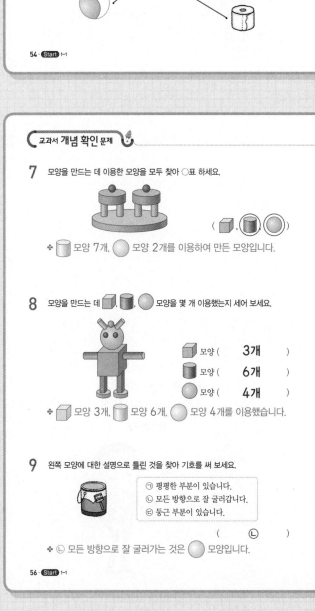

4 왼쪽 물건을 종이에 대고 그렸을 때 나오는 모양을 찾아 이어 보세요.

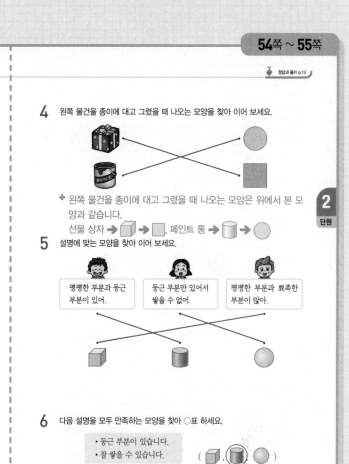

✿ 왼쪽 물건을 종이에 대고 그렸을 때 나오는 모양은 위에서 본 모양과 같습니다.
선물 상자 ➡ ◻ ➡ ◻ , 페인트 통 ➡ ⬭ ➡ ◯

5 설명에 맞는 모양을 찾아 이어 보세요.

| 평평한 부분과 둥근 부분이 있어. | 둥근 부분만 있어서 쌓을 수 없어. | 평평한 부분과 뾰족한 부분이 많아. |

◻ ⬭ ◯

6 다음 설명을 모두 만족하는 모양을 찾아 ○표 하세요.

- 둥근 부분이 있습니다.
- 잘 쌓을 수 있습니다.

(◻ . ⬭ . ◯)

✿ 잘 쌓을 수 있으려면 평평한 부분이 있어야 합니다.
따라서 둥근 부분이 있고 평평한 부분이 있는 모양을 찾으면 ⬭ 모양입니다.

교과서 개념 확인 문제

7 모양을 만드는 데 이용한 모양을 모두 찾아 ○표 하세요.

(◻ , ⬭ . ◯)

✿ ⬭ 모양 7개, ◯ 모양 2개를 이용하여 만든 모양입니다.

8 모양을 만드는 데 ◻ , ⬭ , ◯ 모양을 몇 개 이용했는지 세어 보세요.

◻ 모양 (	**3개**	)
⬭ 모양 (	**6개**	)
◯ 모양 (	**4개**	)

✿ ◻ 모양 3개, ⬭ 모양 6개, ◯ 모양 4개를 이용했습니다.

9 왼쪽 모양에 대한 설명으로 틀린 것을 찾아 기호를 써 보세요.

㉠ 평평한 부분이 있습니다.
㉡ 모든 방향으로 잘 굴러갑니다.
㉢ 둥근 부분이 있습니다.

(㉡)

✿ ㉡ 모든 방향으로 잘 굴러가는 것은 ◯ 모양입니다.

10 보기의 모양을 모두 이용하여 만든 모양을 찾아 ○표 하세요.

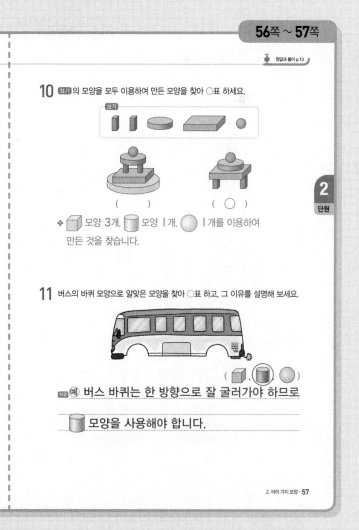

| 보기 |

( ) (◯)

✿ ◻ 모양 3개, ⬭ 모양 1개, ◯ 개를 이용하여 만든 것을 찾습니다.

11 버스의 바퀴 모양으로 알맞은 모양을 찾아 ○표 하고, 그 이유를 설명해 보세요.

(◻ . ⬭ . ◯)

이유 예 버스 바퀴는 한 방향으로 잘 굴러가야 하므로

⬭ 모양을 사용해야 합니다.

개념 확인평가 2. 여러 가지 모양

맞은 개수

정답과 풀이 p.14

1 보기 와 같은 모양에 ○표 하세요.

보기

( )   ( )   (○)

✿ ⬭ 모양과 같은 모양의 물건은 아이스크림 통입니다.

2 어떤 모양을 모은 것인지 알맞은 모양에 ○표 하세요.

( )   ( )   (○)

✿ 털실 뭉치, 지구본, 축구공, 수박은 모두 ◯ 모양입니다.

3 ⬭ 모양은 모두 몇 개 있을까요?

(3개)

✿ ⬭ 모양은 페인트 통, 탬버린, 자동차 바퀴로 모두 3개입니다.

4 어떤 모양의 일부분입니다. 어떤 모양인지 알맞은 모양에 ○표 하세요.

(○)   ( )   ( )   ( )

✿ 평평한 부분과 뾰족한 부분이 보이므로 ⬛ 모양입니다.

5 ⬭ 모양에 대한 설명으로 잘못 말한 친구의 이름을 써 보세요.

세형	지우	준수
한쪽 방향으로 잘 굴러가.	뾰족한 부분도 있어.	평평한 부분이 있지.

(지우)

✿ ⬭ 모양은 평평한 부분과 둥근 부분이 있고 한쪽 방향으로 잘 굴러갑니다. 뾰족한 부분이 있는 모양은 ⬛ 모양입니다.

6 모양을 만드는 데 ⬛, ⬭, ◯ 모양을 몇 개 이용했는지 세어 보세요.

⬛ 모양 (3개)
⬭ 모양 (5개)
◯ 모양 (4개)

✿ ⬛ 모양: 얼굴, 다리, ⬭ 모양: 뿔, 팔, 몸통, ◯ 모양: 눈, 발

2
단원

개념 확인평가 2. 여러 가지 모양

정답과 풀이 p.14

7 퍼즐 조각을 맞추어 ⬭ 모양을 완성하려고 합니다. 빈칸에 들어갈 퍼즐 조각에 ○표 하세요.

( )   (○)   ( )

✿ ⬭ 모양의 왼쪽 아래 부분에 해당하는 조각은 가운데 그림입니다.

8 왼쪽 모양을 만드는 데 가장 많이 이용한 모양에 ○표 하세요.

(○)   ( )   ( )

✿ 주어진 모양을 만드는 데 ⬛ 모양 5개, ⬭ 모양 4개, ◯ 모양 2개를 이용했습니다. 따라서 가장 많이 이용한 모양은 ⬛ 모양입니다.

9 보기 의 모양을 모두 이용하여 만든 모양을 찾아 기호를 써 보세요.

보기

가   나

(나)

✿ ⬛ 모양: 3개, ⬭ 모양: 2개, ◯ 모양: 6개를 이용하여 만든 모양을 찾습니다.

가: ⬛ 모양 2개, ⬭ 모양 4개, ◯ 모양 5개, 나: ⬛ 모양 3개, ⬭ 모양 2개, ◯ 모양 6개

보기 의 모양을 모두 이용하여 만든 모양은 나입니다

[GO! 매쓰]
여기까지 2단원 내용입니다.
다음부터는 3단원 내용이
시작합니다.

교과서 **개념 잡기**

정답과 풀이 p.15

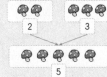 개념① 모으기와 가르기

• 9까지의 수를 모으기

 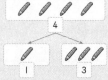

5   7

→ 2와 3을 모으면 5가 됩니다.   → 3과 4를 모으면 7이 됩니다.

• 9까지의 수를 가르기

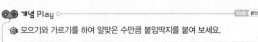

6   4

3   3   1   3

→ 6은 3과 3으로 가를 수 있습니다.   → 4는 1과 3으로 가를 수 있습니다.

⊕⊗ 개념 Play

주제① 붙임딱지

📎 모으기와 가르기를 하여 알맞은 수만큼 붙임딱지를 붙여 보세요.

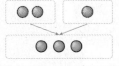

62 · Start 1-1

1 그림을 보고 빈 곳에 알맞은 수를 써넣으세요.

(1) 4   2 → 6   (2) 4 → 3   1

✿ (1) 도넛 4개와 2개를 모으기 하면 6개가 됩니다.
(2) 햄버거 4개는 3개와 1개로 가르기 할 수 있습니다.

2 모으기와 가르기를 해 보세요.

(1) 4   3 → 7   (2) 8 → 2   6

✿ (1) 4와 3을 모으기 하면 7이 됩니다.
(2) 8은 2와 6으로 가르기 할 수 있습니다.

3 빈 곳에 알맞은 수를 써넣으세요.

(1) 1   6 → 7   (2) 8 → 5   3   (3) 4   5 → 9

✿ (1) 1과 6을 모으기 하면 7이 됩니다.
(2) 8은 5와 3으로 가르기 할 수 있습니다.
(3) 4와 5를 모으기 하면 9가 됩니다.

3 단원

3. 덧셈과 뺄셈 · 63

교과서 **개념 잡기**

정답과 풀이 p.15

 개념② 덧셈식으로 나타내기

3+1 → 4

쓰기 3+1=4
읽기 3 더하기 1은 4와 같습니다.
3과 1의 합은 4입니다.

더하기는 +,
감는는 =로
나타내요.

개념③ 덧셈하기

• 그림을 그려서 덧셈하기

→ 꽃 1송이에 ○를 1개씩 그립니다.

5+3=8

• 모으기를 이용하여 덧셈하기

3   1 → 4 → 3+1=4

⊕⊗ 개념 Play

주제② 붙임딱지

📎 초콜릿의 수만큼 ● 붙임딱지를 붙인 다음 덧셈을 해 보세요.

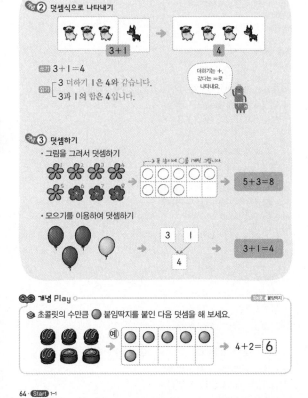

예 4+2=6

64 · Start 1-1

1 그림에 알맞은 덧셈식을 쓰고 읽어 보세요.

쓰기 4+3=7
읽기 4 더하기 3은 7과 같습니다.

✿ 도넛 4개와 3개를 더하면 7개가 됩니다.
→ 4+3=7이고 '4 더하기 3은 7과 같습니다.' 또는 '4와 3의 합은 7입니다.' 라고 읽습니다.

2 그림을 보고 덧셈식을 써 보세요.

(1)   (2)

1+4=5   2+6=8

✿ (1) 왼쪽 칸의 점 1개와 오른쪽 칸의 점 4개를 합하면 점 5개가 됩니다. → 1+4=5

3 그림의 수만큼 ○를 그려 덧셈을 하세요.

 예 ○○○○○ ○○○

3+3=6

✿ 연필 3자루와 색연필 3자루이므로 ○ 3개를 그리고 ○ 3개를 더 그리면 모두 ○ 6개가 됩니다. → 3+3=6

4 그림을 보고 빈 곳에 알맞은 수를 써넣으세요.

     2   5 → 7 → 2+5=7

✿ 참외 2개와 감 5개를 모으면 7개입니다. → 2+5=7

3 단원

3. 덧셈과 뺄셈 · 65

정답과 풀이 · **15**

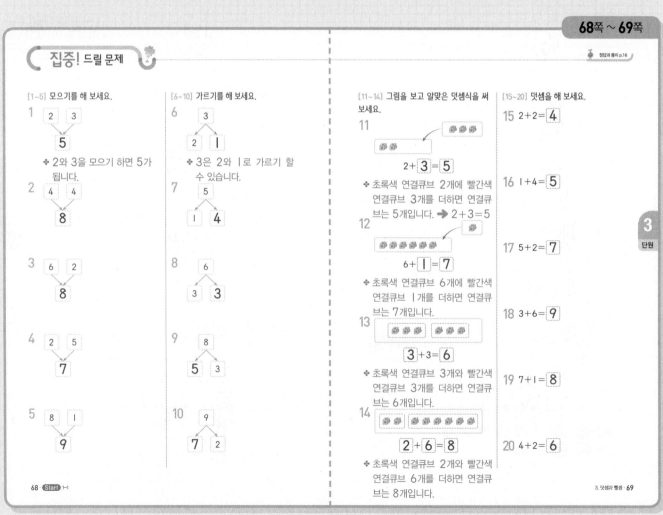

교과서 **개념 확인 문제**

정답과 풀이 p.17

1 모으기와 가르기를 해 보세요.

(1) 3 6 → **9**

(2) 9 → 5 **4**

(3) 2 1 → **3**

✿ (1) 3과 6을 모으기 하면 9가 됩니다.
(2) 9는 5와 4로 가르기 할 수 있습니다.
(3) 2와 1을 모으기 하면 3이 됩니다.

2 연필과 지우개를 모으기 하여 4가 되는 것끼리 이어 보세요.

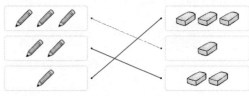

✿ 3과 1, 2와 2, 1과 3을 모으기 하면 4가 됩니다.

3 여러 가지 방법으로 가르기를 해 보세요.

(1) 6 → 예 **5** **1**

(2) 9 → 예 **7** **2**

✿ 가르기 하는 방법은 여러 가지입니다.
(1) 6은 1과 5, 2와 4, 3과 3, 4와 2, 5와 1로 가르기 할 수 있습니다.
(2) 9는 1과 8, 2와 7, 3과 6, 4와 5, 5와 4, 6과 3, 7과 2, 8과 1로 가르기 할 수 있습니다.

4 그림을 보고 이야기를 만들어 보세요.

놀이터에 어린이 4명이 놀고 있는데 **3** 명이 더 놀러 와서 어린이는 모두 **7** 명이 되었습니다.

✿ 어린이 4명과 3명을 더하면 7명이 됩니다.

5 그림에 알맞은 덧셈식에 ○표 하세요.

6+2=8   7+2=9   5+2=7
( )   (○)   ( )

✿ 책 7권에 2권을 더하는 것이므로 7+2=9입니다.

6 덧셈식을 읽어 보세요.

6+2=8 ┌ 6 더하기 **2** 는 **8** 과 같습니다.
        └ 6과 **2** 의 합은 **8** 입니다.

✿ ■+▲=● ┌ ■ 더하기 ▲는 ●와 같습니다.
             └ ■와 ▲의 합은 ●입니다.

교과서 **개념 확인 문제**

정답과 풀이 p.17

7 모으기를 이용하여 덧셈을 해 보세요.

(1) 4 4 → **8**
4+4=**8**

(2) 1 5 → **6**
1+5=**6**

✿ (1) 4와 4를 모으면 8이므로 4+4=8입니다.
(2) 1과 5를 모으면 6이므로 1+5=6입니다.

8 5를 여러 가지 방법으로 가르기 해 보세요.

● ● ● ● ●   1 4
● ● ● ● ●   2 3
● ● ● ● ●   **3** 2
● ● ● ● ●   **4** 1

✿ 5는 1과 4, 2와 3, 3과 2, 4와 1로 가르기 할 수 있습니다.

9 도미노 점을 보고 덧셈식을 써 보세요.

(1)   (2)
5+**4**=**9**   **2**+**3**=**5**

✿ (1) 5와 4를 모으면 9이므로 5+4=9입니다.
(2) 2와 3을 모으면 5이므로 2+3=5입니다.

10 덧셈을 해 보세요.

(1) 2+7=**9**   (2) 5+3=**8**
(3) 4+2=**6**   (4) 2+1=**3**

11 합이 6이 되는 덧셈식을 2개 만들어 보세요.

예 6=**4**+**2**   예 6=**3**+**3**

✿ 합이 6이 되는 덧셈식은 6=1+5, 6=2+4, 6=3+3, 6=4+2, 6=5+1이 있습니다.

12 모으기를 하여 9가 되도록 두 수씩 묶어 보세요.

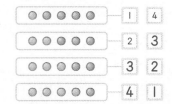

2	7	4
1	5	6
8	9	3

✿ 두 수를 모아서 9가 되는 경우는 1과 8, 2와 7, 3과 6, 4와 5, 5와 4, 6과 3, 7과 2, 8과 1이 있습니다.

13 민정이는 칭찬 붙임딱지를 어제는 4장, 오늘은 1장 받았습니다. 민정이가 받은 칭찬 붙임딱지는 모두 몇 장일까요?

(**5장**   )

✿ (민정이가 받은 칭찬 붙임딱지 수)
=(어제 받은 칭찬 붙임딱지 수)+(오늘 받은 칭찬 붙임딱지 수)
=4+1=5(장)

교과서 **개념 잡기**

정답과 풀이 p.18

개념 ④ 뺄셈식으로 나타내기

6−2

4

쓰기 6−2=4

읽기
- 6 빼기 2는 4와 같습니다.
- 6과 2의 차는 4입니다.

빼기는 −,
같다는 =로
나타내요

개념 ⑤ 뺄셈하기

· 그림을 그려서 뺄셈하기

7−2=5

· 가르기를 이용하여 뺄셈하기

5
2 3

→ 5−2=3

심화 개념 O X

그림에 맞는 식이면 ○표, 틀리면 ×표 하세요.

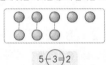

5−3=2 (○)   4−3=3 (×)

74 · Start 1−1

1 그림에 알맞은 뺄셈식을 쓰고 읽어 보세요.

쓰기 7−4=3

읽기 7 빼기 4 는 3 과 같습니다.

❖ 새 7마리에서 4마리가 날아가고 3마리가 남았습니다.
→ 7−4=3이고 '7 빼기 4는 3과 같습니다.' 또는 '7과 4의 차는 3입니다.' 라고 읽습니다.

2 그림을 보고 뺄셈식을 써 보세요.

(1)

5−1= 4

(2)

6−3= 3

❖ (1) 사과 5개에서 1개를 먹고 사과 4개가 남았습니다.
→ 5−1=4
(2) 빵 6개와 우유 3개를 비교하면 빵이 우유보다 3개 더 많습니다. → 6−3=3

3 그림을 보고 빈 곳에 알맞은 수를 써넣으세요.

6
1 5
→ 6−1= 5

❖ 6은 1과 5로 가르기 할 수 있으므로 6개 중 1개를 빼면 5개가 남습니다. → 6−1=5

3단원

3. 덧셈과 뺄셈 · 75

교과서 **개념 잡기**

개념 ⑥ 0을 더하거나 빼기

· 0에 더하기

0+2=2

· 0을 더하기

3+0=3

- 0에 어떤 수를 더하면 어떤 수가 됩니다. → 0+■=■
- 어떤 수에 0을 더하면 어떤 수가 됩니다. → ■+0=■

· 0을 빼기

한 명도
안 내렸네

4−0=4

· 0이 되게 빼기

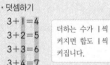

5−5=0

- 어떤 수에서 0을 빼면 어떤 수가 됩니다. → ■−0=■
- 어떤 수에서 그 수 전체를 빼면 0이 됩니다. → ■−■=0

개념 ⑦ 덧셈과 뺄셈하기

· 덧셈하기

3+1=4
3+2=5
3+3=6
3+4=7

더하는 수가 1씩 커지면 합도 1씩 커집니다.

· 뺄셈하기

8−1=7
8−2=6
8−3=5
8−4=4

빼는 수가 1씩 커지면 차는 1씩 작아집니다.

76 · Start 1−1

❖ (1) 왼쪽 상자에 야구공이 하나도 없고 오른쪽 상자에 야구공이 4개 있으므로 야구공은 모두 4개입니다.
→ 0+4=4

1 그림을 보고 □ 안에 알맞은 수를 써넣으세요.

(1)

0+4= 4

(2)

6−6= 0

(2) 바나나 6개에서 바나나를 모두 먹었더니 하나도 남지 않았습니다. → 6−6=0

2 덧셈과 뺄셈을 해 보세요.

(1) 0+8= 8   (2) 7−0= 7

(3) 3+0= 3   (4) 9−9= 0

3 그림을 보고 알맞은 덧셈식을 써 보세요.

(1)

4+0= 4

(2)

0+6= 6

❖ (1) 점의 수는 4이므로 4+0=4입니다.
(2) 점의 수는 6이므로 0+6=6입니다.

4 □ 안에 알맞은 수를 써넣으세요.

(1) 4+2= 6   (2) 4−2= 2

4+3= 7   5−2= 3

4+4= 8   6−2= 4

❖ (1) 더하는 수가 1씩 커지면 합도 1씩 커집니다.
(2) 빼는 수가 같고 빼지는 수가 1씩 커지면 차도 1씩 커집니다.

3단원

3. 덧셈과 뺄셈 · 77

교과서 개념 play 🎨 덧셈, 뺄셈하고 색칠하기

덧셈과 뺄셈을 하여 계산 결과에 맞게 크레파스의 색과 같은 색으로 칠해 보세요.
어떤 그림이 완성될까요?

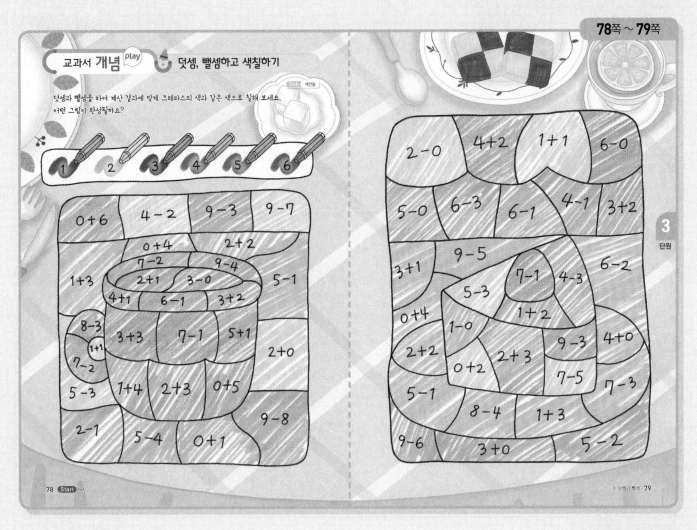

집중! 드릴 문제

정답과 풀이 p.19

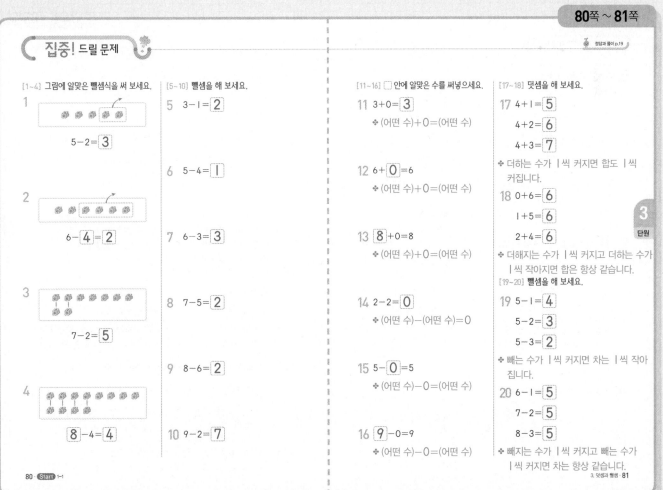

[1~4] 그림에 알맞은 뺄셈식을 써 보세요.

1. 5−2=[3]

2. 6−[4]=[2]

3. 7−2=[5]

4. [8]−4=[4]

[5~10] 뺄셈을 해 보세요.

5. 3−1=[2]

6. 5−4=[1]

7. 6−3=[3]

8. 7−5=[2]

9. 8−6=[2]

10. 9−2=[7]

[11~16] □ 안에 알맞은 수를 써넣으세요.

11. 3+0=[3]
   ❖ (어떤 수)+0=(어떤 수)

12. 6+[0]=6
   ❖ (어떤 수)+0=(어떤 수)

13. [8]+0=8
   ❖ (어떤 수)+0=(어떤 수)

14. 2−2=[0]
   ❖ (어떤 수)−(어떤 수)=0

15. 5−[0]=5
   ❖ (어떤 수)−0=(어떤 수)

16. [9]−0=9
   ❖ (어떤 수)−0=(어떤 수)

[17~18] 덧셈을 해 보세요.

17. 4+1=[5]
   4+2=[6]
   4+3=[7]
   ❖ 더하는 수가 1씩 커지면 합도 1씩 커집니다.

18. 0+6=[6]
   1+5=[6]
   2+4=[6]
   ❖ 더해지는 수가 1씩 커지고 더하는 수가 1씩 작아지면 합은 항상 같습니다.

[19~20] 뺄셈을 해 보세요.

19. 5−1=[4]
   5−2=[3]
   5−3=[2]
   ❖ 빼는 수가 1씩 커지면 차는 1씩 작아집니다.

20. 6−1=[5]
   7−2=[5]
   8−3=[5]
   ❖ 빼지는 수가 1씩 커지고 빼는 수가 1씩 커지면 차는 항상 같습니다.

교과서 개념 확인 문제

정답과 풀이 p.20

1 그림을 보고 알맞은 뺄셈식을 써 보세요.

(1)  (2)

$5-2=3$ $8-4=4$

✿ (1) 5개와 2개를 연결해 보면 딸기 3개가 남습니다.
➡ $5-2=3$

(2) 8개에서 4개를 지우면 4개가 남습니다. ➡ $8-4=4$

2 뺄셈식을 쓰고 읽어 보세요.

쓰기 $6-5=1$

읽기 6과 5의 차는 1입니다.

✿ 피자와 접시를 하나씩 연결해 보면 피자는 접시보다 1개 더 많습니다.

3 관계있는 것끼리 이어 보세요.

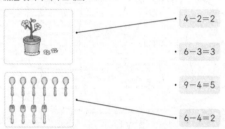

· $4-2=2$
· $6-3=3$
· $9-4=5$
· $6-4=2$

✿ · 꽃 4송이에서 2송이가 떨어졌으므로 뺄셈식으로 나타내면 $4-2=2$입니다.
· 숟가락 6개와 포크 4개를 비교하면 숟가락이 2개 더 많으므로 뺄셈식으로 나타내면 $6-4=2$입니다.

4 뺄셈식으로 나타내어 보세요.

9 빼기 7은 2와 같습니다.

답 $9-7=2$

✿ 빼기는 '−'로, 같습니다는 '='로 나타냅니다.

5 그림을 보고 알맞은 뺄셈식을 써 보세요.

(1)  (2)

$5-5=0$ $4-0=4$

✿ (1) 바구니에 오렌지가 5개 있었는데 5개 다 먹었더니 아무것도 남지 않았습니다.
(2) 연필이 4자루 있었는데 한 자루도 가져가지 않았더니 그대로 4자루가 남았습니다.

6 덧셈과 뺄셈을 해 보세요.

(1) $7+0=7$ (2) $0+4=4$
(3) $5-5=0$ (4) $8-0=8$

✿ (1) (어떤 수)+0=(어떤 수) (2) 0+(어떤 수)=(어떤 수)
(3) (어떤 수)−(어떤 수)=0 (4) (어떤 수)−0=(어떤 수)

7 가르기를 이용하여 뺄셈을 해 보세요.

(1)
4
1 3
$4-1=3$

(2)
9
3 6
$9-3=6$

✿ (1) 4는 1과 3으로 가르기 할 수 있으므로 $4-1=3$입니다.
(2) 9는 3과 6으로 가르기 할 수 있으므로 $9-3=6$입니다.

3. 덧셈과 뺄셈 · 83

교과서 개념 확인 문제

정답과 풀이 p.20

8 덧셈과 뺄셈을 해 보세요.

(1)
$2+5=7$
$3+4=7$
$4+3=7$
$5+2=7$

(2)
$8-1=7$
$8-2=6$
$8-3=5$
$8-4=4$

✿ (1) 더해지는 수가 1씩 커지고, 더하는 수가 1씩 작아지면 합은 항상 같습니다.
(2) 빼는 수가 1씩 커지면 차는 1씩 작아집니다.

9 합과 차가 같은 것끼리 이어 보세요.

$4+4$ · · $8-4$
$0+5$ · · $9-1$
$3+1$ · · $7-2$

✿ $4+4=8$, $0+5=5$, $3+1=4$,
$8-4=4$, $9-1=8$, $7-2=5$

10 빈 곳에 알맞은 수를 써넣으세요.

9 −5 4 +2 6

✿ $9-5=4$, $4+2=6$

11 계산 결과가 가장 큰 것에 ○표 하세요.

$8-8$ $3+2$ $5-1$ $4+0$
( )   (○)   ( )   ( )

✿ $8-8=0$, $3+2=5$, $5-1=4$, $4+0=4$

12 □ 안에 들어갈 수가 다른 하나를 찾아 기호를 써 보세요.

㉠ □+1=1   ㉡ 3−□=0
㉢ 7−□=7   ㉣ 9−□=9

(㉡)

✿ ㉠ □+1=1 ➡ □=0 ㉡ 3−□=0 ➡ □=3
㉢ 7−□=7 ➡ □=0 ㉣ 9−□=9 ➡ □=0
따라서 들어갈 수가 다른 하나는 ㉡입니다.

13 □ 안에 +, −를 알맞게 써넣으세요.

(1) $5+2=7$ (2) $9-3=6$
(3) $4+1=5$ (4) $2-2=0$

✿ (1) 왼쪽 두 개의 수보다 =의 오른쪽 수가 더 크므로 덧셈식입니다.
(2) 가장 왼쪽의 수보다 =의 오른쪽 수가 작으므로 뺄셈식입니다.

14 세 수를 모두 이용하여 덧셈과 뺄셈식을 만들어 보세요.

3   7   4

덧셈식 [$3+4=7$ / $4+3=7$]   뺄셈식 [$7-3=4$ / $7-4=3$]

✿ 덧셈식과 뺄셈식을 각각 2개씩 만들 수 있습니다.
$3+4=7$, $4+3=7$, $7-3=4$, $7-4=3$

3. 덧셈과 뺄셈 · 85

 **개념 확인평가** 3. 덧셈과 뺄셈

틀린 개수

정답과 풀이 p.21

1 그림을 보고 □ 안에 알맞은 수를 써넣으세요.

풍선이 **7** 개 있었는데 **5** 개가
터져서 **2** 개가 남았습니다.

2 그림을 보고 덧셈과 뺄셈을 하세요.

(1)

(2)

5+3= **8**

6-4= **2**

❖ (1) 아이스크림콘 5개와 막대 아이스크림 3개를 더하면 모두
8개입니다. ➡ 5+3=8

3 빈 곳에 알맞은 수를 써넣으세요.

(1)

4 5

9

(2)

5

3 2

❖ (1) 4와 5를 모으기 하면 9가 됩니다.
(2) 5는 3과 2로 가르기 할 수 있습니다.

4 덧셈과 뺄셈을 하세요.

(1) 3+4= **7**

(2) 8-8= **0**

5 모으기 하여 8이 되는 두 수를 찾아 ○표 하세요.

| 1 | ⑤ | ③ | 4 | 0 |

❖ 모으기 하여 8이 되는 수는 0과 8, 1과 7, 2와 6, 3과 5, 4와
4입니다. 따라서 위의 수에서 모으기 하여 8이 되는 두 수는 5와
3입니다.

6 그림에 알맞은 덧셈식을 쓰고 읽어 보세요.

쓰기 5+2=7
읽기 5 더하기 2는 7과 같습니다.
또는 5와 2의 합은 7입니다.

❖ 펭귄이 5마리 있었는데 2마리가 더 와서 7마리가 되었습니다.
➡ 5+2=7

7 빈칸에 알맞은 수를 써넣으세요.

(1)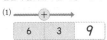

+
6 3 9

(2)

−
9 8 1

8 □ 안에 +, −를 알맞게 써넣으세요.

(1) 2 **+** 5=7

(2) 5 **−** 5=0

❖ (1) 계산 결과가 =의 왼쪽 2개의 수보다 크므로 +가 들어가야
합니다. ➡ 2+5=7
(2) 계산 결과가 =의 왼쪽 2개의 수보다 작으므로 −가 들어가
야 합니다. ➡ 5−5=0

3 단원

86 · Start 1-1

3. 덧셈과 뺄셈 87

개념 확인평가 3. 덧셈과 뺄셈

정답과 풀이 p.21

9 계산 결과가 가장 큰 것에 ○표 하세요.

| 2+3 | 9−2 | 5+1 |
| ( ) | (○) | ( ) |

❖ 2+3=5, 9−2=7, 5+1=6
➡ 5, 7, 6 중 가장 큰 수는 7이므로 9−2에 ○표 합니다.

10 차가 4가 되는 뺄셈식을 3가지 만들어 보세요.

예 **5** − **1** =4 예 **6** − **2** =4 예 **7** − **3** =4

❖ 차가 4가 되는 뺄셈식은 4−0=4, 5−1=4, 6−2=4,
7−3=4, 8−4=4, 9−5=4가 있습니다.

11 사탕을 미진이는 3개 가지고 있고, 윤호는 5개 가지고 있습니다. 미진이와 윤
호가 가지고 있는 사탕은 모두 몇 개일까요?

(**8개**)

❖ 미진이가 가지고 있는 사탕 수와 윤호가 가지고 있는 사탕 수를
더합니다. ➡ 3+5=8(개)

12 수 카드 중에서 가장 큰 수와 가장 작은 수의 차를 구해 보세요.

| 2 | 5 | 8 | 3 |

(**6**)

❖ 가장 큰 수: 8, 가장 작은 수: 2 ➡ 8−2=6

[GO! 매쓰]
여기까지 3단원 내용입니다.
다음부터는 4단원 내용이 시작합니다.

88 · Start 1-1

정답과 풀이 · 21

교과서 개념 잡기

정답과 풀이 p.22

개념 ① 길이 비교하기

두 물건의 한쪽 끝을 맞추어 맞대어 봐요.

• 두 가지 물건의 길이 비교하기

더 길다

더 짧다

은 　보다 더 깁니다.

은 　보다 더 짧습니다.

• 세 가지 물건의 길이 비교하기

가장 길다

가장 짧다

가 가장 깁니다.

이 　보다 더 짧습니다.

물건의 길이를 비교하는 방법
물건의 한쪽 끝을 맞추어 맞대었을 때 다른 쪽 끝이 가장 많이 나온 물건이 가장 길고, 가장 조금 나온 물건이 가장 짧습니다.

• 키 비교하기
더 작다　　더 크다

• 높이 비교하기
더 높다　　더 낮다

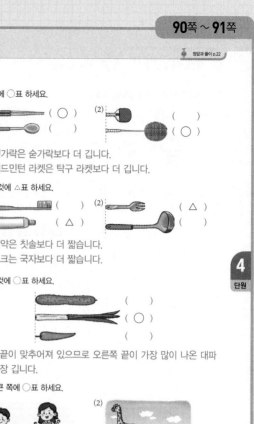

1 더 긴 것에 ◯표 하세요.

(1) (◯) / ( )　　(2) ( ) / (◯)

✿ (1) 젓가락은 숟가락보다 더 깁니다.
　(2) 배드민턴 라켓은 탁구 라켓보다 더 깁니다.

2 더 짧은 것에 △표 하세요.

(1) ( ) / (△)　　(2) (△) / ( )

✿ (1) 치약은 칫솔보다 더 짧습니다.
　(2) 포크는 국자보다 더 짧습니다.

3 가장 긴 것에 ◯표 하세요.

( )
(◯)
( )

✿ 왼쪽 끝이 맞추어져 있으므로 오른쪽 끝이 가장 많이 나온 대파가 가장 깁니다.

4 키가 더 큰 쪽에 ◯표 하세요.

(1) ( ) / (◯)　　(2) (◯) / ( )

✿ (1) 여학생이 남학생보다 키가 더 큽니다.
　(2) 기린이 토끼보다 키가 더 큽니다.

4. 비교하기 · 91

교과서 개념 잡기

정답과 풀이 p.22

개념 ② 무게 비교하기

• 두 가지 물건의 무게 비교하기

손으로 들어서 비교하기
더 가볍다　　더 무겁다

양팔저울을 이용하여 비교하기
더 가볍다　　더 무겁다

는 　보다 더 무겁습니다.

는 　보다 더 가볍습니다.

양팔저울이나 시소는 아래로 내려간 쪽이 더 무거워요.

• 세 가지 물건의 무게 비교하기

가장 무겁다　　가장 가볍다

이 가장 무겁습니다.

은 　보다 더 가볍습니다.

개념 Play

🖐 윗접시저울에 야구공과 농구공 붙임딱지를 알맞게 붙이고, 알맞은 그림에 ◯표 하세요.

더 무거운 것은 (ⓛ . ◯)입니다.

→ 윗접시저울이라고 해요.

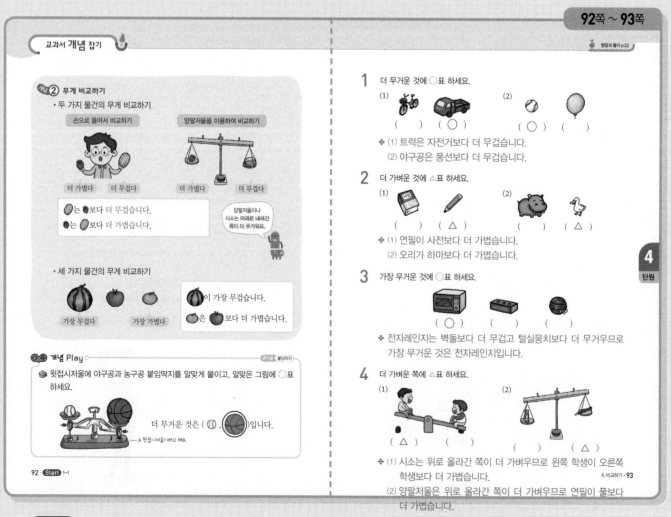

1 더 무거운 것에 ◯표 하세요.

(1) ( ) / (◯)　　(2) (◯) / ( )

✿ (1) 트럭은 자전거보다 더 무겁습니다.
　(2) 야구공은 풍선보다 더 무겁습니다.

2 더 가벼운 것에 △표 하세요.

(1) ( ) / (△)　　(2) ( ) / (△)

✿ (1) 연필이 사전보다 더 가볍습니다.
　(2) 오리가 하마보다 더 가볍습니다.

3 가장 무거운 것에 ◯표 하세요.

(◯) / ( ) / ( )

✿ 전자레인지는 벽돌보다 더 무겁고 털실뭉치보다 더 무거우므로 가장 무거운 것은 전자레인지입니다.

4 더 가벼운 쪽에 △표 하세요.

(1) (△) / ( )　　(2) ( ) / (△)

✿ (1) 시소는 위로 올라간 쪽이 더 가벼우므로 왼쪽 학생이 오른쪽 학생보다 더 가볍습니다.
　(2) 양팔저울은 위로 올라간 쪽이 더 가벼우므로 연필이 풀보다 더 가볍습니다.

4. 비교하기 · 93

교과서 개념 play · 길이와 무게 비교하기

어머니께서 저녁 식사를 준비하기 위해 채소 가게와 생선 가게에서 장을 보았어요.
두 가게에서 산 것을 각각 알맞게 붙임딱지를 붙이고 길이를 비교해 보세요.

집 안에 있는 동물과 집 밖에 있는 동물끼리 각각 기울어진 시소에 알맞게 붙임딱지를 붙이고 무게를 비교해 보세요.

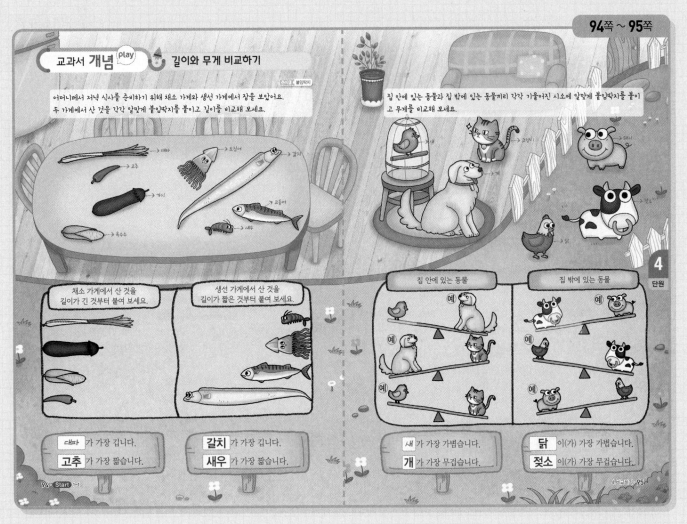

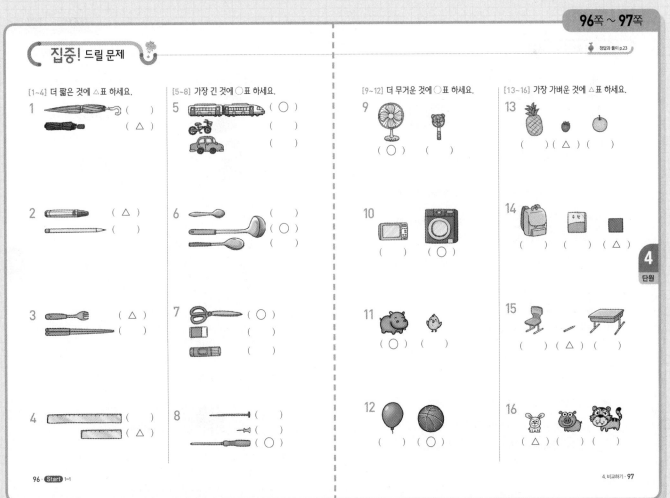

집중! 드릴 문제

정답과 풀이 p.23

[1~4] 더 짧은 것에 △표 하세요.

1 ( )
   (△)

2 (△)
   ( )

3 (△)
   ( )

4 ( )
   (△)

[5~8] 가장 긴 것에 ○표 하세요.

5 (○)
   ( )
   ( )

6 ( )
   (○)
   ( )

7 (○)
   ( )
   ( )

8 ( )
   ( )
   (○)

[9~12] 더 무거운 것에 ○표 하세요.

9 (○) ( )

10 ( ) (○)

11 (○) ( )

12 ( ) (○)

[13~16] 가장 가벼운 것에 △표 하세요.

13 ( ) (△) ( )

14 ( ) ( ) (△)

15 ( ) (△) ( )

16 (△) ( ) ( )

교과서 개념 확인 문제

정답과 풀이 p.24

1 알맞은 것끼리 이어 보세요.

더 길다
더 짧다

❖ 왼쪽 끝이 맞추어져 있으므로 오른쪽 끝이 더 많이 나온 색연필이 크레파스보다 더 깁니다.

2 더 높은 것에 ◯표 하세요.

(1) 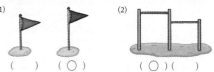 (2)

( ) (◯)   (◯) ( )

❖ 아래쪽 끝이 맞추어져 있으므로 위쪽으로 더 많이 올라간 것이 더 높습니다.

3 더 짧은 것에 △표 하세요.

( )
(△)

❖ 오른쪽 끝이 맞추어져 있으므로 왼쪽 끝이 더 조금 나온 빗이 더 짧습니다.

4 더 가벼운 것에 △표 하세요.

(1)   (2)

(△) ( )   ( ) (△)

❖ (1) 자전거는 오토바이보다 더 가볍습니다.
(2) 체중계는 세탁기보다 더 가볍습니다.

98 · Start 1-1

5 가장 긴 것에 ◯표, 가장 짧은 것에 △표 하세요.

(△)
(◯)
( )

❖ 왼쪽 끝이 맞추어져 있으므로 오른쪽 끝이 가장 많이 나온 대파가 가장 길고, 오른쪽 끝이 가장 조금 나온 호박이 가장 짧습니다.

6 젓가락보다 더 긴 것에 모두 ◯표 하세요.

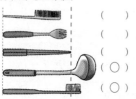

( )
( )
( )
(◯)
(◯)

❖ 왼쪽 끝이 모두 맞추어져 있으므로 젓가락의 오른쪽 끝과 비교해 보면 젓가락보다 더 긴 물건은 국자와 칫솔입니다.

7 가장 무거운 것에 ◯표, 가장 가벼운 것에 △표 하세요.

(△)   (◯)   ( )

❖ 컵, 냉장고, 청소기 중에서 냉장고가 가장 무겁고, 컵이 가장 가볍습니다.

4. 비교하기 · 99

4 단원

교과서 개념 확인 문제

정답과 풀이 p.24

8 왼쪽 의자보다 더 가벼운 것에 △표 하세요.

( ) (△) ( )

❖ 수첩은 의자보다 더 가볍습니다.

9 수지와 영후가 시소를 타고 있습니다. ☐ 안에 이름을 알맞게 써넣으세요.

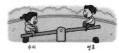

| 영후 |는| 수지 |보다
더 가볍습니다.

❖ 시소에서 위로 올라간 쪽이 더 가벼우므로 영후가 수지보다 더 가볍습니다.

10 가장 긴 줄넘기를 찾아 기호를 써 보세요.

㉠
㉡
㉢

(㉡)

❖ 양쪽 끝이 맞추어져 있으므로 가장 많이 구부러진 것이 가장 깁니다.

11 다음 문장에서 틀린 곳을 찾아 ×표 하고 바르게 고쳐 보세요.

언니는 나보다 키가 더 작습니다.

→ **언니는 나보다 키가 더 큽니다.**

❖ 키를 비교할 때는 '더 크다', '더 작다'로 나타냅니다.

100 · Start 1-1

12 재활용품을 옮기고 있습니다. 자루 안에 들어 있는 물건을 찾아 이어 보세요.

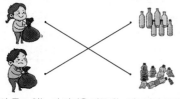

❖ 여학생이 들고 있는 더 가벼운 자루에는 페트병이 들어 있고 남학생이 들고 있는 더 무거운 자루에는 유리병이 들어 있습니다.

13 가장 무거운 사람은 누구인지 써 보세요.

민재 정호   민재 용빈

(**용빈**)

❖ 민재가 정호보다 더 무겁고, 용빈이가 민재보다 더 무거우므로 가장 무거운 사람은 용빈입니다.

14 접은 종이 위에 물건을 올려놓았습니다. 색연필과 필통 중 더 무거운 쪽에 ◯표 하세요.

( )   (◯)

❖ 색연필을 올려놓으면 접은 종이가 그대로 있고, 필통을 올려놓으면 접은 종이가 무너집니다.
따라서 필통이 색연필보다 더 무겁습니다.

4. 비교하기 · 101

4 단원

교과서 개념 잡기

개념 ③ 넓이 비교하기

• 두 가지 물건의 넓이 비교하기

더 넓다   더 좁다

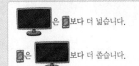

■은 ▪보다 더 넓습니다.

▪은 ■보다 더 좁습니다.

한쪽 끝을 맞추어 겹쳤을 때 남는 부분이 있는 것이 더 넓어요.

• 세 가지 물건의 넓이 비교하기

 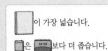

가장 넓다   가장 좁다

□이 가장 넓습니다.

▪은 ▪보다 더 좁습니다.

개념 Play

붙임딱지

🔶 이불 위에 방석 붙임딱지를 붙여 보고, 알맞은 그림에 ◯표 하세요.

예

더 넓은 것은 (◯ , ▪)입니다.

102 · Start 1-1

정답과 풀이 p.25

1 더 넓은 것에 ◯표 하세요.

(1)
(◯)   (   )

(2)
(   )   (◯)

❖ (1) 500원짜리 동전이 10원짜리 동전보다 더 넓습니다.
 (2) 오른쪽 침대가 왼쪽 침대보다 더 넓습니다

2 더 좁은 것에 △표 하세요.

(1)
(   )   (△)

(2)
(△)   (   )

❖ (1) 수첩은 스케치북보다 더 좁습니다.
 (2) 탁상시계는 벽시계보다 더 좁습니다.

3 가장 넓은 것에 ◯표 하세요.

(   )   (◯)   (   )

❖ 가장 넓은 것은 가운데에 있는 보름달입니다.

4 가장 좁은 것에 △표 하세요.

(△)   (   )   (   )

❖ 가장 좁은 것은 가장 왼쪽에 있는 접시입니다.

4. 비교하기 · 103

교과서 개념 잡기

개념 ④ 담을 수 있는 양 비교하기

• 두 가지 그릇에 담을 수 있는 양 비교하기

더 많다   더 적다

그릇의 크기가 클수록 담을 수 있는 양이 더 많아요.

🫖는 ☕보다 담을 수 있는 양이 더 많습니다.

☕은 🫖보다 담을 수 있는 양이 더 적습니다.

• 세 가지 그릇에 담을 수 있는 양 비교하기

가장 많다   가장 적다

□이 담을 수 있는 양이 가장 많습니다.

▪은 ▪보다 담을 수 있는 양이 더 적습니다.

• 그릇에 담긴 양 비교하기

더 많다   더 적다

더 많다   더 적다

그릇의 모양과 크기가 같을 때에는 담긴 높이가 높을수록 담긴 양이 더 많습니다.

담긴 높이가 같을 때에는 그릇의 크기가 클수록 담긴 양이 더 많습니다.

104 · Start 1-1

정답과 풀이 p.25

1 담을 수 있는 양이 더 많은 것에 ◯표 하세요.

(1)
(   )   (◯)

(2)
(◯)   (   )

❖ (1) 생수통의 크기가 더 크므로 더 많이 담을 수 있습니다.
 (2) 양동이의 크기가 페트병보다 더 크므로 더 많이 담을 수 있습니다.

2 담긴 물의 양이 더 적은 것에 △표 하세요.

(1)
(△)   (   )

(2)
(   )   (△)

❖ 그릇의 모양과 크기가 같으므로 물의 높이가 더 낮은 쪽의 그릇에 담긴 물의 양이 더 적습니다.

3 물이 가장 많이 담긴 것에 ◯표 하세요.

(   )   (   )   (◯)

❖ 그릇의 모양과 크기가 같으므로 물의 높이가 가장 높은 가장 오른쪽 그릇에 물이 가장 많이 담겼습니다.

4 담을 수 있는 양이 가장 적은 것에 △표 하세요.

(   )   (△)   (   )

❖ 그릇의 크기가 가장 작은 바가지에 담을 수 있는 양이 가장 적습니다.

4. 비교하기 · 105

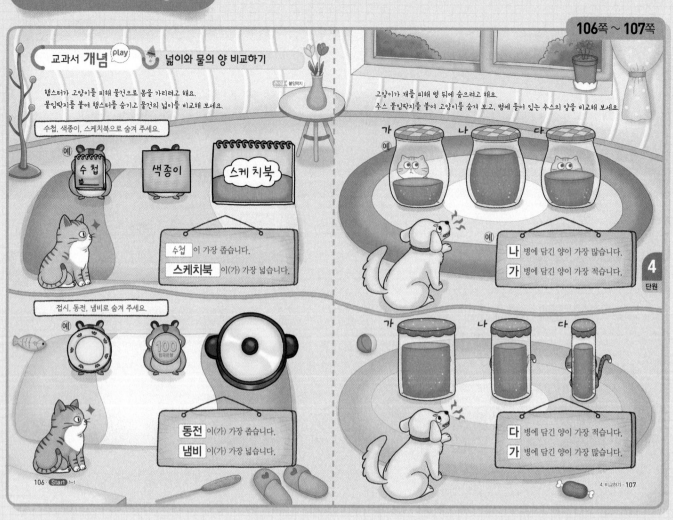

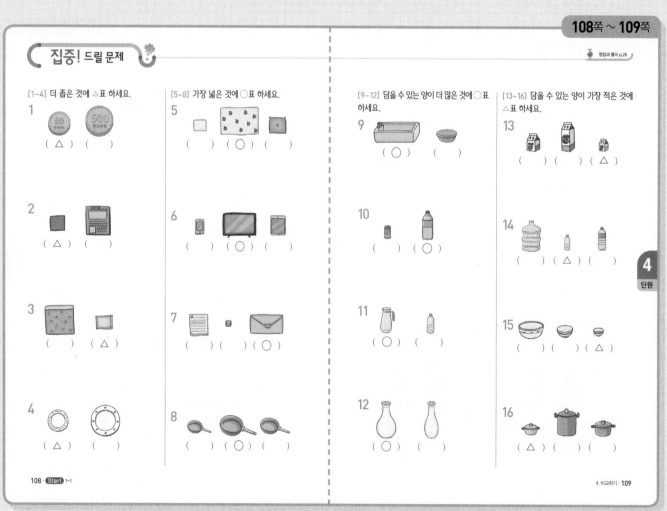

교과서 개념 확인 문제

정답과 풀이 p.27

1 알맞은 것끼리 이어 보세요.

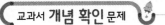

더 좁다
더 넓다

✤ 한쪽 끝을 맞추어 겹쳐 보면 남는 부분이 있는 교통 표지판이 더 넓고, 남는 부분이 없는 삼각자가 더 좁습니다.

2 그림을 보고 알맞은 말에 ◯표 하세요.

(1) 컵은 페트병보다 더 (많이 , (적게)) 담을 수 있습니다.
(2) 양동이가 가장 ((많이) , 적게) 담을 수 있습니다.

✤ (1) 컵이 페트병보다 더 작으므로 더 적게 담을 수 있습니다.
(2) 양동이가 가장 크므로 가장 많이 담을 수 있습니다.

3 더 넓은 것에 ◯표 하세요.

( ) (◯)

✤ 한쪽 끝을 맞추어 겹쳐 보았을 때 남는 부분이 있는 것은 칠판이 므로 칠판이 액자보다 더 넓습니다.

110 · Start 1~1

4 더 좁은 것에 △표 하세요.

(1) 　(2)

　(△) 　( ) 　　　( ) 　(△)

5 담을 수 있는 양이 더 적은 것에 △표 하세요.

(1) 　(2)

　( ) 　(△) 　　　(△) 　( )

✤ (1) 크기가 더 작은 보온병이 담을 수 있는 양이 더 적습니다.
(2) 크기가 더 작은 음료수 캔이 담을 수 있는 양이 더 적습니다.

6 넓은 것부터 순서대로 1, 2, 3을 써 보세요.

(1) 　(3) 　(2)

✤ 부채가 많이 벌어질수록 더 넓습니다.

7 가장 넓은 것에 ◯표, 가장 좁은 것에 △표 하세요.

(◯) 　(△) 　( )

✤ 목장은 꽃밭보다 더 넓고, 연못은 꽃밭보다 더 좁습니다. 따라서 가장 넓은 것은 목장이고, 가장 좁은 것은 연못입니다.

4 단원

4. 비교하기 · 111

교과서 개념 확인 문제

정답과 풀이 p.27

8 수아는 그림을 액자에 넣으려고 합니다. 어느 액자를 골라야 하는지 ◯표 하세요.

( ) 　(◯)

✤ 그림보다 액자가 좁으면 그림을 액자에 넣을 수 없습니다.

9 담을 수 있는 양이 가장 많은 것에 ◯표, 가장 적은 것에 △표 하세요.

(◯) 　(△) 　( )

✤ 그릇의 크기가 클수록 담을 수 있는 양이 많습니다.

10 컵에 담긴 주스의 양이 가장 적은 것에 △표 하세요.

( ) 　(△) 　( )

✤ 모양과 크기가 같은 컵이므로 주스의 높이가 가장 낮은 것이 주스의 양이 가장 적습니다.

11 물이 가장 많이 담긴 것에 ◯표 하세요.

( ) 　(◯) 　( )

✤ 물의 높이가 같으므로 그릇의 크기가 가장 큰 가운데 그릇이 물이 가장 많이 담긴 것입니다.

112 · Start 1~1

12 담을 수 있는 양이 보기 의 컵보다 더 많은 것을 모두 찾아 기호를 써 보세요.

보기 　㉠ 　㉡ 　㉢ 　㉣

(㉡, ㉢)

✤ 보기 의 컵보다 크기가 더 큰 그릇을 모두 찾으면 ㉡ 양동이와 ㉢ 보온병입니다.

13 왼쪽 그림보다 좁은 △ 모양을 그려 넣으세요.

　예

✤ 한쪽 끝을 맞추어 겹쳐 보았을 때 남는 부분이 없도록 그립니다.

14 ㉠, ㉡, ㉢ 중에서 색칠한 모양이 가장 좁은 것을 찾아 기호를 쓰세요.

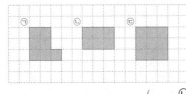

(㉡)

✤ ㉠은 모눈 7칸, ㉡은 모눈 6칸, ㉢은 모눈 9칸을 색칠했으므로 색칠한 모양이 가장 좁은 것은 ㉡입니다.

4 단원

4. 비교하기 · 113

정답과 풀이 · **27**

개념 확인평가
4. 비교하기

맞은 개수

정답과 풀이 p.28

1 더 긴 것에 ◯표 하세요.

(1)
( ) (◯)

(2)  (◯)
( )

✤ (1) 아래쪽 끝을 맞추어 비교하면 오른쪽 초가 더 깁니다.
(2) 오른쪽 끝을 맞추어 비교하면 위쪽 연필이 더 깁니다.

2 담을 수 있는 양이 더 적은 것에 △표 하세요.

(1)
(△) ( )

(2)
( ) (△)

✤ 그릇의 크기가 작을수록 담을 수 있는 양이 더 적습니다.

3 가장 높은 것에 ◯표 하세요.

( ) ( ) (◯)

✤ 아래쪽 끝이 맞추어져 있으므로 위로 가장 많이 올라간 오른쪽 건물이 가장 높습니다.

4 펭귄보다 더 가벼운 것에 △표 하세요.

(△) ( ) ( )

✤ 펭귄보다 더 가벼운 것은 병아리입니다.

114 · Start 1-1

5 그림을 보고 □ 안에 알맞은 말을 써넣으세요.

| 코끼리 | 는 | 고양이 | 보다 더 무겁습니다.

✤ 시소에서 아래로 내려간 쪽이 더 무거우므로 코끼리가 고양이보다 더 무겁습니다.

6 키가 가장 큰 사람은 누구인지 써 보세요.

(진영)

✤ 발끝이 맞추어져 있으므로 머리끝이 위쪽으로 더 많이 올라간 사람이 더 큽니다.

7 물이 많이 담긴 것부터 순서대로 1, 2, 3을 써 보세요.

(2) (3) (1)

✤ 물의 높이가 같으므로 크기가 큰 그릇일수록 물이 많이 담겼습니다.

8 집에서 병원까지 가는 길이 다음과 같을 때 어느 길이 가장 멀까요?

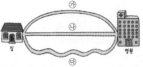

(㉤)

✤ 많이 구부러진 길일수록 먼 길입니다. 따라서 가장 먼 길은 ㉤입니다.

4. 비교하기 · 115

개념 확인평가
4. 비교하기

정답과 풀이 p.28

9 ㉠과 ㉡ 중에서 어느 것이 더 넓을까요?

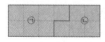

(㉠)

✤ ㉠은 7칸, ㉡은 5칸이므로 ㉠이 더 넓습니다.

10 수를 순서대로 이어 보고, 더 넓은 쪽에 ◯표 하세요.

(◯) ( )

✤ 토끼가 있는 쪽이 오리가 있는 쪽보다 더 넓습니다.

11 똑같은 크기의 색종이를 선을 따라 모두 자르려고 합니다. 가장 넓은 조각이 생기는 것을 찾아 기호를 써 보세요.

(㉤)

✤ 각 색종이에서 가장 넓은 부분은 ◯를 한 부분이므로 가장 넓은 조각이 생기는 것은 ㉤입니다.

116 · Start 1-1

[GO! 매쓰]
여기까지 4단원 내용입니다.
다음부터는 5단원 내용이
시작합니다.

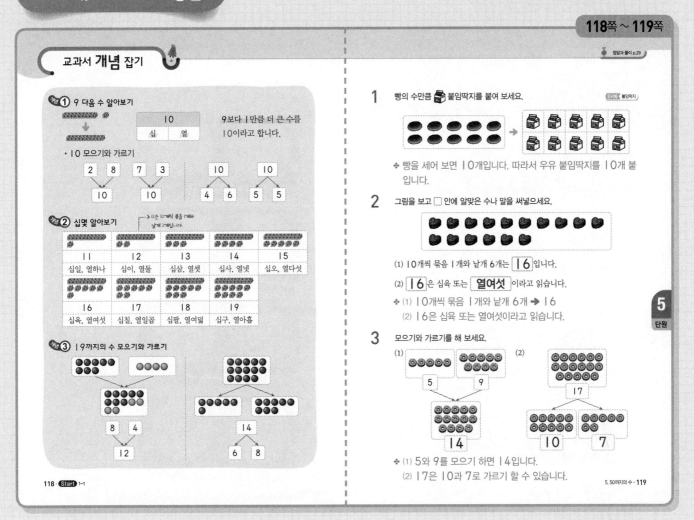

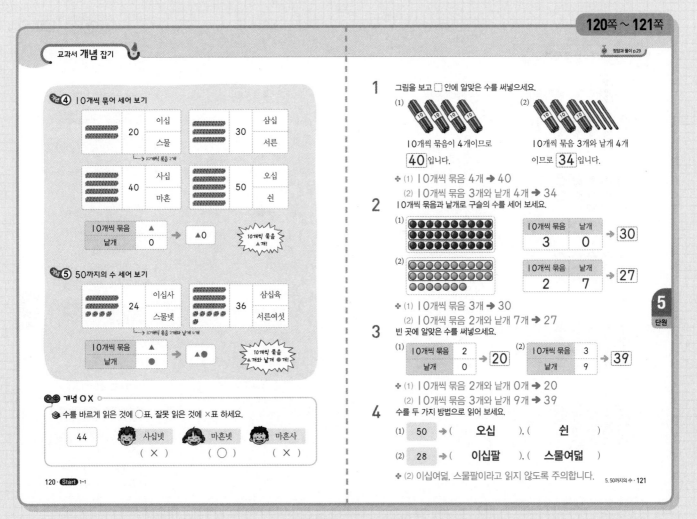

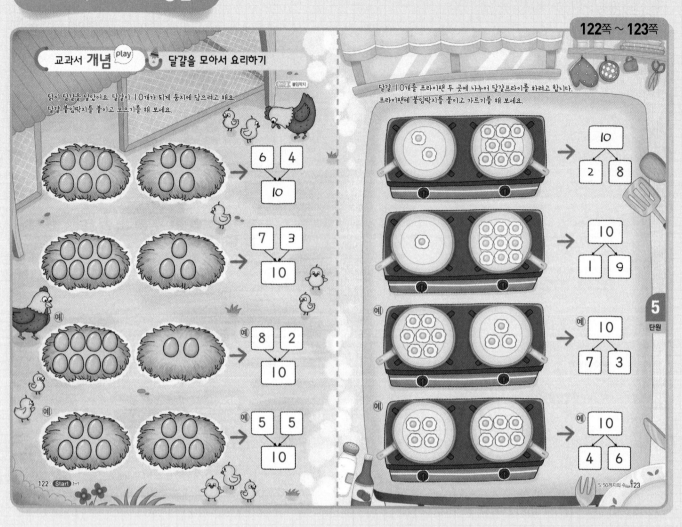

교과서 **개념** play 🍳 달걀을 모아서 요리하기

닭이 달걀을 낳았어요. 달걀이 10개가 되게 둥지에 담으려고 해요.
달걀 붙임딱지를 붙이고 모으기를 해 보세요.

달걀 10개를 프라이팬 두 곳에 나누어 달걀프라이를 하려고 합니다.
프라이팬에 붙임딱지를 붙이고 가르기를 해 보세요.

5 단원

🌱 집중! 드릴 문제

정답과 풀이 p.30

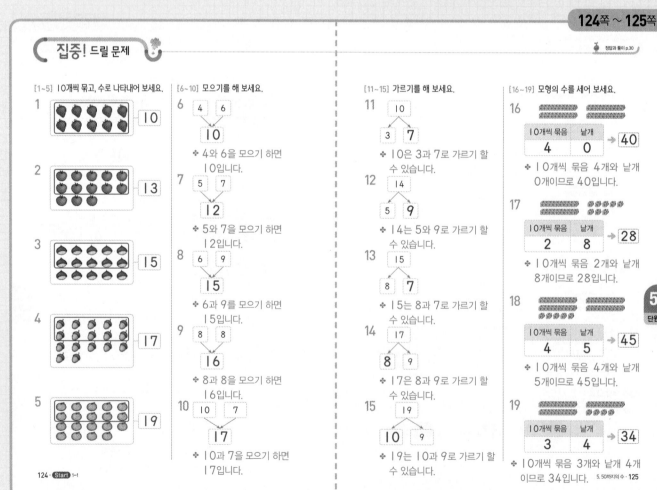

[1~5] 10개씩 묶고, 수로 나타내어 보세요.

1. **10**
2. **13**
3. **15**
4. **17**
5. **19**

[6~10] 모으기를 해 보세요.

6. 4, 6 → **10**
   ✧ 4와 6을 모으기 하면 10입니다.

7. 5, 7 → **12**
   ✧ 5와 7을 모으기 하면 12입니다.

8. 6, 9 → **15**
   ✧ 6과 9를 모으기 하면 15입니다.

9. 8, 8 → **16**
   ✧ 8과 8을 모으기 하면 16입니다.

10. 10, 7 → **17**
    ✧ 10과 7을 모으기 하면 17입니다.

[11~15] 가르기를 해 보세요.

11. 10 → 3, **7**
    ✧ 10은 3과 7로 가르기 할 수 있습니다.

12. 14 → 5, **9**
    ✧ 14는 5와 9로 가르기 할 수 있습니다.

13. 15 → 8, **7**
    ✧ 15는 8과 7로 가르기 할 수 있습니다.

14. 17 → 8, **9**
    ✧ 17은 8과 9로 가르기 할 수 있습니다.

15. 19 → 10, **9**
    ✧ 19는 10과 9로 가르기 할 수 있습니다.

[16~19] 모형의 수를 세어 보세요.

16.
10개씩 묶음	낱개
4	0
→ **40**
    ✧ 10개씩 묶음 4개와 낱개 0개이므로 40입니다.

17.
10개씩 묶음	낱개
2	8
→ **28**
    ✧ 10개씩 묶음 2개와 낱개 8개이므로 28입니다.

18.
10개씩 묶음	낱개
4	5
→ **45**
    ✧ 10개씩 묶음 4개와 낱개 5개이므로 45입니다.

5 단원

19.
10개씩 묶음	낱개
3	4
→ **34**
    ✧ 10개씩 묶음 3개와 낱개 4개이므로 34입니다.

교과서 개념 확인 문제

정답과 풀이 p.31

1 10이 되도록 색칠해 보세요.

✤ 3개가 색칠되어 있으므로 10개가 되려면 7개를 더 색칠해야 합니다.

2 10마리인 것을 모두 찾아 ○표 하세요.

( ) (○) (○)

✤ 무당벌레: 9마리, 나비: 10마리, 벌: 10마리

3 다음을 수로 써 보세요.

(1) 십칠 (17) (2) 열아홉 (19)

4 빈 곳에 알맞은 수만큼 ○를 그려 보세요.

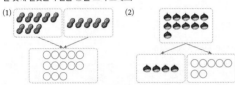

✤ (1) 8과 5를 모으기 하면 13입니다. 따라서 ○를 13개 그립니다.
(2) 11은 4와 7로 가르기 할 수 있습니다. 따라서 ○를 7개 그립니다.

5 수를 세어 □ 안에 알맞은 수를 써넣으세요.

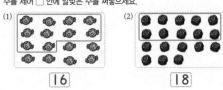

(1) 16 (2) 18

✤ (1) 사탕은 10개씩 묶음 1개와 낱개 6개이므로 16개입니다.
(2) 초콜릿은 10개씩 묶음 1개와 낱개 8개이므로 18개입니다.

6 알맞게 이어 보세요.

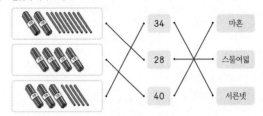

34 — 마흔
28 — 스물여덟
40 — 서른넷

✤ 10개씩 묶음 2개와 낱개 8개 ➡ 28(이십팔, 스물여덟)
10개씩 묶음 4개 ➡ 40(사십, 마흔)
10개씩 묶음 3개와 낱개 4개 ➡ 34(삼십사, 서른넷)

7 빈 곳에 알맞은 수를 써넣으세요.

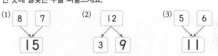

(1) 8 7 → 15 (2) 12 → 3 9 (3) 5 6 → 11

✤ (1) 8과 7을 모으기 하면 15입니다.
(2) 12는 3과 9로 가르기 할 수 있습니다.
(3) 5와 6을 모으기 하면 11입니다.

5 단원

교과서 개념 확인 문제

정답과 풀이 p.31

8 □ 안에 알맞은 수를 써넣으세요.

(1) 10개씩 묶음 3개는 30 입니다.
(2) 10개씩 묶음 4개와 낱개 2개는 42 입니다.

✤ (1) 10개씩 묶음 3개 ➡ 30
(2) 10개씩 묶음 4개와 낱개 2개 ➡ 42

9 구슬의 수를 세어 쓰고 두 가지 방법으로 읽어 보세요.

쓰기 (35)
읽기 (삼십오).(서른다섯)

✤ 구슬은 10개씩 묶음 3개와 낱개 5개이므로 35개입니다.
35는 삼십오 또는 서른다섯이라고 읽습니다.

10 빈칸에 알맞은 수를 써넣으세요.

(1)
10개씩 묶음	낱개
2	6

➡ 26

(2)
10개씩 묶음	낱개
4	7

➡ 47

✤ (1) 10개씩 묶음 2개와 낱개 6개는 26입니다.
(2) 47은 10개씩 묶음 4개와 낱개 7개입니다.

11 16칸을 두 가지 색으로 색칠하고 가르기를 해 보세요.

예 [색칠 막대]

16 → 예 10 6

✤ 16은 1과 15, 2와 14, 3과 13, 4와 12, 5와 11, 6과 10, 7과 9, 8과 8 등으로 가르기 할 수 있습니다.

12 보기 와 같이 수를 보고 □ 안에 알맞은 수를 써넣으세요.

보기
20 · 10개씩 묶음 2개는 20입니다.
· 구슬이 10개씩 2묶음 있으면 20개입니다.

50 · 10개씩 묶음 5 개는 50 입니다.
· 곶감이 10개씩 5 묶음 있으면 50 개입니다.

✤ 50은 10개씩 묶음이 5개입니다.

13 위와 아래의 두 수를 모아서 14가 되는 것끼리 이어 보세요.

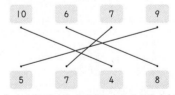

10 6 7 9
5 7 4 8

✤ 10과 4, 6과 8, 7과 7, 9와 5를 모으기 하면 14입니다.

14 나타내는 수가 다른 하나를 찾아 기호를 써 보세요.

㉠ 43 ㉡ 사십삼
㉢ 서른셋 ㉣ 10개씩 묶음 4개와 낱개 3개

(㉢)

✤ ㉠ 43 ㉡ 사십삼 ➡ 43 ㉢ 서른셋 ➡ 33
㉣ 10개씩 묶음 4개와 낱개 3개 ➡ 43
따라서 나타내는 수가 다른 하나는 ㉢입니다.

5 단원

교과서 **개념** 잡기

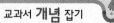

정답과 풀이 p.32

개념 ⑥ 수의 순서 알아보기

· 1만큼 더 큰 수와 1만큼 더 작은 수 알아보기

| 1만큼 더 작은 수 | | 1만큼 더 큰 수 |

45 | 46 | 47

46보다 1만큼 더 작은 수: 45
46보다 1만큼 더 큰 수: 47

46 바로 앞의 수 　　46 바로 뒤의 수

수를 순서대로 썼을 때 바로 앞의 수는 1만큼 더 작은 수입니다.
바로 뒤의 수는 1만큼 더 큰 수입니다.

· 사이의 수 알아보기

사이의 수

25 | 26 | 27 → 25와 27 사이의 수: 26

개념 Play

책이 순서대로 꽂혀 있도록 붙임딱지를 붙여 보세요.

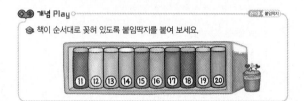

---

1 순서에 맞게 빈칸에 알맞은 수를 써넣으세요.

21	22	**23**	24	**25**	26	**27**	28	**29**	30
31	**32**	33	**34**	35	**36**	**37**	38	39	**40**
41	42	**43**	**44**	**45**	46	47	**48**	**49**	**50**

❖ 21부터 수를 순서대로 씁니다.

2 수를 보고 □ 안에 알맞은 수를 써넣으세요.

13 ― 14 ― 15 ― 16 ― 17 ― 18 ― 19 ― 20

(1) 18보다 1만큼 더 큰 수는 **19** 입니다.

(2) 18보다 1만큼 더 작은 수는 **17** 입니다.

❖ (1) 18보다 1만큼 더 큰 수는 18 바로 뒤의 수이므로 19입니다.
(2) 18보다 1만큼 더 작은 수는 18 바로 앞의 수이므로 17입니다.

3 수를 보고 □ 안에 알맞은 수를 써넣으세요.

27 ― 28 ― 29 ― 30 ― 31 ― 32 ― 33 ― 34

(1) 27과 29 사이의 수는 **28** 입니다.

(2) 31과 34 사이의 수는 **32** , **33** 입니다.

❖ (1) 27 – 28 – 29이므로 27과 29 사이의 수는 28입니다.
(2) 31 – 32 – 33 – 34이므로 31과 34 사이의 수는 32, 33입니다.

4 빈 곳에 알맞은 수를 써넣으세요.

(1) 22　23　㉔　25　㉖　　(2) ㊳　39　40　㊵　42

5 단원

교과서 **개념** 잡기

정답과 풀이 p.32

개념 ⑦ 수의 크기 비교하기

10개씩 묶음의 수가 더 큰 쪽이 큰 수입니다.

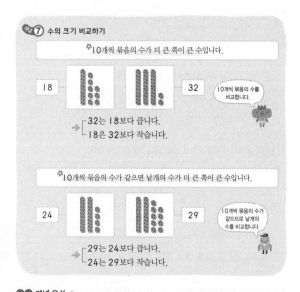

18　　　　32

10개씩 묶음의 수를 비교합니다.

32는 18보다 큽니다.
18은 32보다 작습니다.

10개씩 묶음의 수가 같으면 낱개의 수가 더 큰 쪽이 큰 수입니다.

24　　　　29

10개씩 묶음의 수가 같으므로 낱개의 수를 비교합니다.

29는 24보다 큽니다.
24는 29보다 작습니다.

개념 O X

다음을 보고 바르게 말한 사람은 ○표, 잘못 말한 사람은 ×표 하세요.

35　　　　　　41

35는 41보다 큽니다.　　41은 35보다 큽니다.

---

1 그림을 보고 알맞은 말에 ○표 하세요.

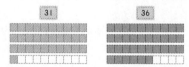

31　　　　　　　　27

(1) 31은 27보다 ((큽니다) , 작습니다).

(2) 27은 31보다 (큽니다 , (작습니다)).

❖ 31이 10개씩 묶음의 수가 더 크므로 31은 27보다 큽니다.

2 수만큼 색칠하고, 두 수의 크기를 비교해 보세요.

31　　　　　　36

(1) **36** 은 31보다 큽니다.

(2) 31은 **36** 보다 작습니다.

❖ 10개씩 묶음의 수가 3으로 같으므로 낱개의 수를 비교합니다.
36이 낱개의 수가 더 크므로 36은 31보다 큽니다.

3 알맞은 말에 ○표 하세요.

(1) 11은 19보다 (큽니다 , (작습니다)).

(2) 50은 35보다 ((큽니다) , 작습니다).

❖ (1) 10개씩 묶음의 수가 1로 같으므로 낱개의 수를 비교합니다.
11이 낱개의 수가 더 작으므로 11은 19보다 작습니다.
(2) 50이 10개씩 묶음의 수가 더 크므로 50은 35보다 큽니다.

4 더 큰 수에 ○표 하세요.

(1) ㊵　28　　(2) 33　㊲

❖ (1) 40이 10개씩 묶음의 수가 더 크므로 40은 28보다 큽니다.
(2) 10개씩 묶음의 수가 3으로 같으므로 낱개의 수를 비교합니다.
37이 낱개의 수가 더 크므로 37은 33보다 큽니다.

5 단원

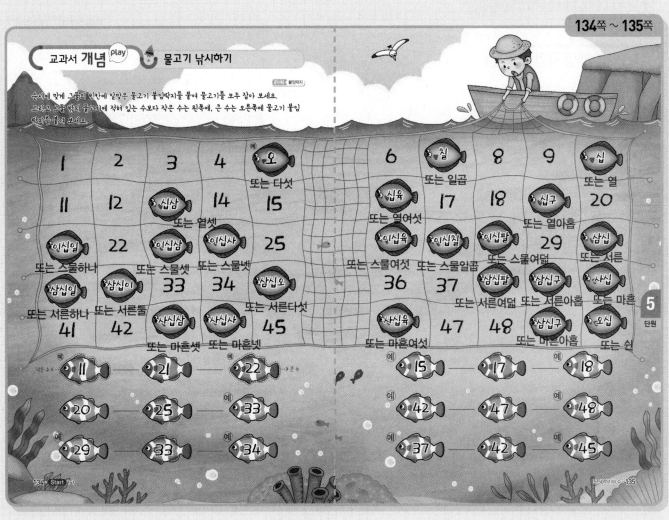

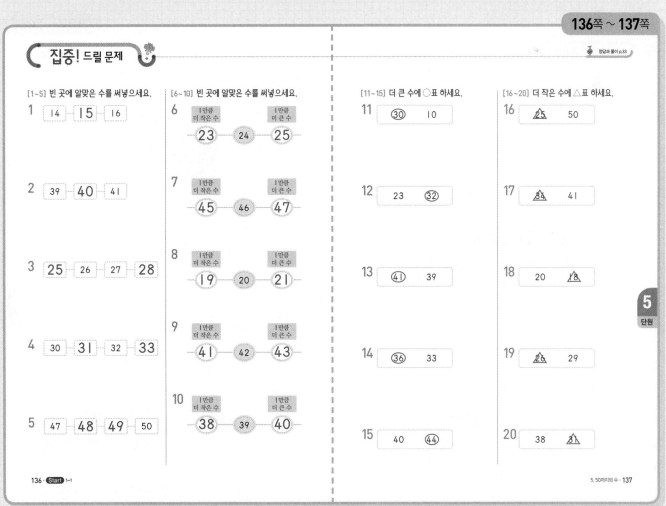

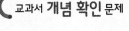
교과서 개념 확인 문제

정답과 풀이 p.34

1 빈 곳에 알맞은 수를 써넣으세요.

(1) 18 — **19** — 20   (2) 33 — **34** — 35

✿ 바로 뒤의 수는 I만큼 더 큰 수이고, 바로 앞의 수는 I만큼 더 작은 수입니다.

2 빈 곳에 알맞은 수를 써넣으세요.

(1) 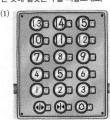   (2)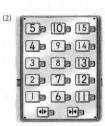

✿ (1) 오른쪽으로 I칸 갈 때마다 I씩 커집니다.
(2) 아래에서 위로 I칸 갈 때마다 I씩 커집니다.

3 그림을 보고 두 수의 크기를 비교하여 □ 안에 알맞은 말을 써넣으세요.

 15   23

┌ I5는 23보다 **작습니다**
└ 23은 I5보다 **큽니다**

✿ I5가 I0개씩 묶음의 수가 더 작으므로 I5는 23보다 작습니다.
23이 I0개씩 묶음의 수가 더 크므로 23은 I5보다 큽니다.

138 · Start 1-1

4 순서에 맞게 빈 곳에 알맞은 수를 써넣으세요.

✿ 22부터 수를 순서대로 씁니다.

5 빈 곳에 알맞은 수를 써넣으세요.

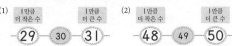

(1) I만큼 더 작은 수 **29** 30 **31** I만큼 더 큰 수

(2) I만큼 더 작은 수 **48** 49 **50** I만큼 더 큰 수

✿ 수를 순서대로 썼을 때 바로 앞의 수는 I만큼 더 작은 수이고, 바로 뒤의 수는 I만큼 더 큰 수입니다.

6 □ 안에 알맞은 수를 써넣으세요.

┌ **42** 는 **39** 보다 큽니다.
└ **39** 는 **42** 보다 작습니다.

✿ 42는 39보다 I0개씩 묶음의 수가 더 크므로 42는 39보다 큽니다.

5, 50까지의 수 · 139

5 단원

교과서 개념 확인 문제

정답과 풀이 p.34

7 더 큰 수에 ○표 하세요.

(1) �8 I9   (2) ㊿ 46
(3) 4I ㊸   (4) ㊴ 34

✿ (1) 28이 I0개씩 묶음의 수가 더 크므로 28은 I9보다 큽니다.
(3) I0개씩 묶음의 수가 같으므로 낱개의 수를 비교하면 43이 4I보다 큽니다.

8 주어진 수를 보고 작은 수부터 순서대로 써넣으세요.

| 21 | 19 | 20 | 24 | 22 | 23 |

✿ I9부터 24까지의 수를 작은 수부터 순서대로 쓰면
I9 — 20 — 2I — 22 — 23 — 24입니다.

9 그림을 보고 알맞은 것에 ○표 하세요.

 27   I7   30

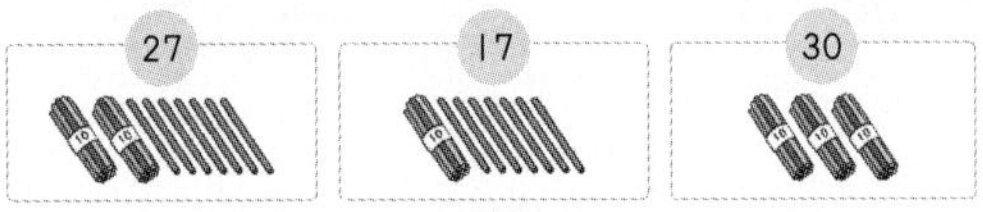

┌ 27은 I7보다 (큽니다 , 작습니다).
└ 27은 30보다 (큽니다 , 작습니다).
➜ 가장 큰 수는 (27 , I7 , ㉚)입니다.

✿ I0개씩 묶음의 수가 가장 큰 것은 30이므로 30이 가장 큽니다.

140 · Start 1-1

10 순서에 맞게 ○ 안에 알맞은 수를 써넣으세요.

✿ 27부터 수를 순서대로 씁니다.

11 큰 수부터 순서대로 써 보세요.

| 29 | 45 | 22 | 38 | II |

(**45, 38, 29, 22, II**)

✿ I0개씩 묶음의 수가 큰 수부터 쓰면 45, 38, 29와 22, II입니다. 29와 22 중 낱개의 수가 더 큰 29가 더 크므로 주어진 5개의 수를 큰 수부터 순서대로 쓰면 45, 38, 29, 22, II입니다.

12 딱지를 유진이는 28장, 진주는 30장 모았습니다. 딱지를 더 많이 모은 사람은 누구일까요?

(**진주**)

✿ 30이 28보다 I0개씩 묶음의 수가 더 크므로 30이 28보다 큽니다. 따라서 진주가 딱지를 더 많이 모았습니다.

13 25와 3I 사이의 수를 모두 써 보세요.

 25 ___ 3I

(**26, 27, 28, 29, 30**)

✿ 25부터 수를 순서대로 쓰면 25 — 26 — 27 — 28 — 29 — 30 — 3I입니다. 따라서 25와 3I 사이의 수는 26, 27, 28, 29, 30입니다.

5, 50까지의 수 · 141

5 단원

개념 확인평가

5. 50까지의 수

맞은 개수

정답과 풀이 p.35

1 수를 세어 ☐ 안에 알맞은 수를 써넣으세요.

(1)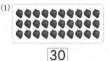

30

(2)

45

❖ (1) 10개씩 묶음이 3개이므로 30입니다.
    (2) 10개씩 묶음 4개와 낱개 5개이므로 45입니다.

2 다음이 나타내는 수를 빈 곳에 써넣고, 두 가지 방법으로 읽어 보세요.

9보다 1만큼 더 큰 수 → 10

(십), (열)

❖ 9보다 1만큼 더 큰 수는 10입니다.
    10은 십 또는 열이라고 읽습니다.

3 빈칸에 알맞은 수를 써넣으세요.

16 17 18 19 20 21 22

❖ 16부터 수를 순서대로 씁니다.

4 가르기를 하여 빈 곳에 알맞은 수를 써넣으세요.

(1)

6 6

(2)

9 7

❖ (1) 12는 6과 6으로 가르기 할 수 있습니다.
    (2) 16은 9와 7로 가르기 할 수 있습니다.

142 · Start 1-1

5 알맞게 이어 보세요.

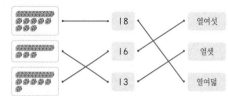

18 — 열여섯
16 — 열셋
13 — 열여덟

❖ 10개씩 묶음 1개와 낱개 8개 → 18(십팔, 열여덟)
    10개씩 묶음 1개와 낱개 3개 → 13(십삼, 열셋)
    10개씩 묶음 1개와 낱개 6개 → 16(십육, 열여섯)

6 빈칸에 알맞은 수를 써넣으세요.

수	10개씩 묶음	낱개
26	2	6
34	3	4
42	4	2

❖ 26은 10개씩 묶음 2개와 낱개 6개입니다.
    34는 10개씩 묶음 3개와 낱개 4개입니다.
    10개씩 묶음 4개와 낱개 2개는 42입니다.

7 빈칸에 알맞은 수를 써넣으세요.

(1) 18 19 20
(2) 39 40 41

❖ 수를 순서대로 썼을 때 바로 앞의 수는 1만큼 더 작은 수이고,
    바로 뒤의 수는 1만큼 더 큰 수입니다.

5. 50까지의 수 · 143

5 단원

개념 확인평가

5. 50까지의 수

정답과 풀이 p.35

8 모으기를 하여 16이 되는 것끼리 이어 보세요.

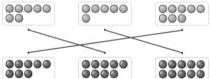

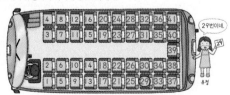

❖ • 7과 모으기 하여 16이 되는 수는 9입니다.
    • 6과 모으기 하여 16이 되는 수는 10입니다.
    • 8과 모으기 하여 16이 되는 수는 8입니다.

9 가장 큰 수에 ○표, 가장 작은 수에 △표 하세요.

44 △41 ○47

❖ 10개씩 묶음의 수가 같으므로 낱개의 수를 비교합니다.
    따라서 가장 큰 수는 47이고, 가장 작은 수는 41입니다.

10 버스에서 유정이의 자리에 ○표 하세요.

29번이네.

11 어머니께서는 과일 가게에서 귤을 쉰 개 샀습니다. 귤을 10개씩 봉투에 담으려고 합니다. 봉투는 모두 몇 개 있어야 할까요?

→ 50개

(5개)

❖ 50은 10개씩 묶음이 5개이므로 귤을 10개씩 묶으면 5묶음이 됩니다. 따라서 봉투는 모두 5개 있어야 합니다.

144 · Start 1-1

[GO! 매쓰]
수고하셨습니다.
앞으로 Run 교재와 Jump 교재로
교과+사고력을 잡아 보세요.

Memo

단원별 기초 연산 드릴 학습서

최강 단원별 연산은 내게 맡겨라!

천재
계산박사

교과과정 바탕

교과서 주요 내용을
단원별로 세분화한 12단계 구성으로
실력에 맞는 단계부터 시작 가능!

연산 유형 마스터

원리 학습에서 계산 방법 익히고,
문제를 반복 연습하여
초등 수학 단원별 연산 완성!

재미 UP! QR 학습

딱딱하고 수동적인 연산학습은 NO!
QR 코드를 통한 〈문제 생성기〉와
〈학습 게임〉으로 재미있는 수학 공부!

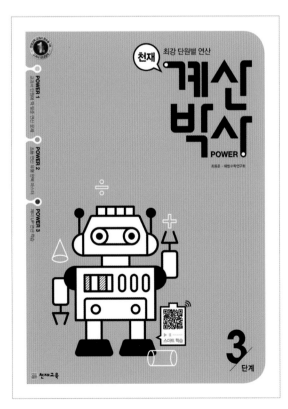

탄탄한 기초는 물론
계산력까지 확실하게!
초등1~6학년(총 12단계)

정답은
이안에
있어.!

난이도 별점
쉬움 ★
보통 ★★★
어려움 ★★★★★
최상위 ★★★★★★★

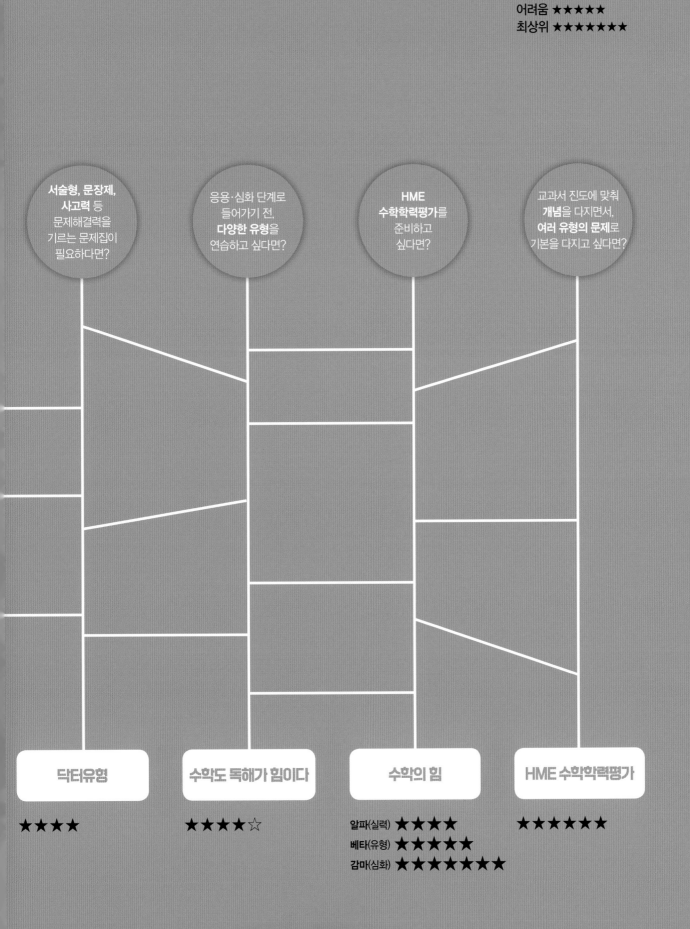

서술형, 문장제, 사고력 등 문제해결력을 기르는 문제집이 필요하다면?

응용·심화 단계로 들어가기 전, 다양한 유형을 연습하고 싶다면?

HME 수학학력평가를 준비하고 싶다면?

교과서 진도에 맞춰 개념을 다지면서, 여러 유형의 문제로 기본을 다지고 싶다면?

닥터유형
★★★★

수학도 독해가 힘이다
★★★★☆

수학의 힘
알파(실력) ★★★★
베타(유형) ★★★★★
감마(심화) ★★★★★★★

HME 수학학력평가
★★★★★★★

배움으로 행복한 내일을 꿈꾸는
천재교육 커뮤니티 안내 . . . .

 교재 안내부터 구매까지 한 번에!
천재교육 홈페이지

천재교육 홈페이지에서는 자사가 발행하는 참고서,
교과서에 대한 소개는 물론 도서 구매도 할 수 있습니다.
회원에게 지급되는 별을 모아 다양한 상품 응모에도
도전해 보세요.

 구독, 좋아요는 필수! 핵유용 정보 가득한
천재교육 유튜브 <천재TV>

신간에 대한 자세한 정보가 궁금하세요?
참고서를 어떻게 활용해야 할지 고민인가요?
공부 외 다양한 고민을 해결해 줄 채널이 필요한가요?
학생들에게 꼭 필요한 콘텐츠로 가득한 천재TV로 놀러오세요!

 다양한 교육 꿀팁에 깜짝 이벤트는 덤!
천재교육 인스타그램

천재교육의 새롭고 중요한 소식을 가장 먼저 접하고 싶다면?
천재교육 인스타그램 팔로우가 필수!
누구보다 빠르고 재미있게 천재교육의 소식을 전달합니다.
깜짝 이벤트도 수시로 진행되니 놓치지 마세요!